データ立国論

宮田裕章
Miyata Hiroaki

PHP新書

はじめに——データの力で「Better Co-Being」な社会を実現する——

私は普段、データサイエンティストとして、「科学を使って現実をよりよくする」ために、人と人や、人と世界をさまざまなデータでつなぐ仕事をしています。

たとえば、専門としているヘルスケアの領域では、臨床現場と連携して膨大な臨床データを分析するデータベース「ＮＣＤ（National Clinical Database）」の開発、運営を行っています。

その一方で、慶應義塾大学殿町《とのまち》タウンキャンパス（神奈川県川崎市）では、well-being社会の実現に向けた研究、社会実装にも取り組んでいます。さらに最近は、ＬＩＮＥ×厚生労働省「新型コロナ対策のための全国調査」の分析にも携わりました。

一見バラバラなことをやっているように見えますが、私のあらゆる行動の軸になっているのは、「データを使った社会変革」です。私は新しい価値観と多様なライフスタイルを社会にもたらし、私たちの暮らしをドラスティックに変えていくための重要な役割をデータが果たすと考えています。

むしろ、これだけテクノロジーが発達したにもかかわらず、現時点でデータはその力を十分に発揮できていません。端的に言えば、経済合理性を至上とする価値観から脱することができていない。新しい価値観や多様なライフスタイルの実現には程遠い状況です。

たとえば、ＡＩ（人工知能）やテクノロジーによって中央集権的な社会が実現されるという「ディストピア論」はその一部でしょう。そこではデータ社会には「希望」がないかのように、センセーショナルな予測が中心に語られます。あるいは、データ社会の希望が語られていても、それが単なる「利便性」の話に終始していることもあります。

しかし、データ社会はただ生活が便利になるといったレベルの話ではなく、「文明の夜明け」と言ってもよいほどの、革命的な変化をもたらしてくれるものです。

なぜデータ社会は「産業革命以来の大変化」なのか？

データ社会の実現は、なぜそれほど革命的なのか。それは、産業革命以来続いてきた「価値＝貨幣」という大前提を覆《くつがえ》し、多様な価値が交換可能な社会を実現する可能性を秘めているからです。

産業革命以降、社会における価値と言えば、「貨幣」でした。貨幣を獲得するために、労働を通してモノやサービスを提供する。この「労働価値説」こそが、近代以降における経済資本主義の基本システムでした。

「お金より大切なものがある」と言いつつも、それを定量的に可視化することは困難であり、交換可能な価値として貨幣は大きな影響を社会に及ぼしてきたのです。

しかしデータ社会では、データの力で「貨幣以外の価値」を可視化し、さらにそれを貨幣などの他の価値と交換するだけでなく、ときに貨幣を媒介せずに直接社会を駆動することが可能です。それを実際に行っている事例の1つが、中国のアント・フィナンシャル（螞蟻金融）が導入している「芝麻信用（ジーマクレジット）」と呼ばれる社会信用スコアです。

これは、個人の行動履歴データ――金融取引だけでなく、公共料金の支払いや日常生活の行動を含む――に基づき「信用スコア」を算出し、融資などの審査を行うというものです。これによって、手持ちの資産が乏しい人でも、信用スコアが高ければ融資が受けられる――そんな現実がすでに訪れています。

もちろん中国の信用スコアが万能というわけではありません。そこにはプライバシー等多くの問題があることも本文で触れますが、それでもデータで「貨幣以外の価値」を可視化し、社会を動かす新たな駆動力として運用しているという点で、これからの世界における新たな可能性をもたらしたと言えます。こうした取り組みから、ポスト資本主義につながる仕組みが生まれていくでしょう。

また、データによって可視化できる価値は、信用だけではありません。あるコミュニティや業界への「貢献」も、可視化することができます。

たとえば、ある人物の「食」に関する行動データ――有機野菜など、環境負荷の低い食材を使用しているかどうか、フードマイレージ（食料の輸送距離）は低く抑えられているかといったデータを数値化することで、食における「環境への貢献度」を個人ごとに可視化することができます。

あるいは他にも、仁（教育や人材育成への貢献）、義（社会の相互扶助や持続可能性への貢献）、礼（質の高いサービスの提供、人々へのリスペクト）、智（イノベーション創出への貢献）

といった多元的な価値を創出し、それらが貨幣とは異なる枠組みで社会を駆動するとしたら、どうでしょう。

つまりこれから始まる「データ共鳴社会」では、貨幣も含めて、信用や環境への貢献度などさまざまな共有価値（Shared Values）を可視化して、社会を駆動することができます。そうすれば、我々は経済合理性という一元的な軸でなく、何を大事にして生きていくのか、どう社会に貢献していくのかなどの、多元的な豊かさの中で社会や経済をつくり上げていくことができます。

これまでの社会活動は経済合理性が主軸となるシステムの中で、人々の役割が位置づけられてきました。人々の人生も社会システムへの貢献に捧げられてきました。「自分の人生を大切に」と言いつつ、それは経済合理性という価値軸による制約を大きく受けたものでした。

しかしこれからは、私たちはデータを活用することで、多元的価値主導型のライフスタイルへ転換し、生きることを「再発明」できるかもしれません。人生で何を大切にし、どのような価値に貢献するかを、主体的に選択する社会の実現が目の前に迫っています。

私はこの、データによって可視化された多元的価値によって、人々が響き合いながらともに構成する社会のことを、「データ共鳴社会」と呼んでいます。これこそが本書で述べる、新しい社会のグランドデザインと言えるものです。

データの力で「最大〝多様〟の最大幸福」を実現する

さらにデータは、この多様な価値を可視化するだけではなく、その可視化された価値を追い求める各個人に対して、個別に対応することも可能にしました。

これまでの産業、あるいは国家における社会政策などでは、個々人の状況をつぶさに把握することが難しかったので、最大多数の「平均の人たち」を想定して、そこに向けてパッケージをつくって提供するのが、合理的かつ基本的な考え方でした。しかしそれだと、その平均値から大きく外れてしまう人たちのニーズを満たすことは難しくなります。

たとえば既存の経済システムにおける「大量生産・大量消費」はその典型です。「多くの人がこれなら買うだろう」と思われる商品を大量につくり、より多くの消費者にリーチする。しかも大量につくればつくるほど単価は下がるので、より利益も上がる。
ですがそれだと、ニッチな需要の商品は敬遠され、あまり流通しなくなります。すると、それを本当に求めている消費者のニーズは無視されがちになる、あるいは非常にコストが高くなったりする。これが「平均モデル」の課題でした。

しかし、データを活用すれば、これまでとは比較にならないくらい低コストで、消費者一人ひとりのニーズや状況を細かく把握することができます。その結果、それに合わせた商品やサービスを提供することが可能になります。つまり、今までは効率性の観点から行えなかった「個別最適」が、データによって実現できるようになったのです。

これまでの社会では「最大多数の最大幸福」を実現すること——より多くの人が幸福を感じられる単一のパッケージを考え、提供するべきとされてきました。
しかし、個別対応を可能にするデータ社会では、「最大〝多様〟の最大幸福」——多様な価値を可能な限り把握し、一人ひとりに寄り添うサービスを提供することが重要な考え方になります。

多様な価値を可視化するだけでなく、その多様な価値を希望する一人ひとりに寄り添い、誰も取り残さない社会。これが「データ共鳴社会」が目指す1つの目標です。

20XX年、データ共鳴社会の未来図

ここまで、データがこれからの社会変革の軸になる主な理由として、「貨幣以外の多様な価値を可視化し、それによって社会を駆動すること」「一人ひとりの多様なニーズを満たすこと」、この2つを挙げました。

こうしたデータがもたらす変革の範囲は、経済界にとどまらず、社会のいたるところに広がります。たとえば、地域自治の在り方やコミュニティづくり、ひいては国家の運営に至るまで、さまざまな組織、共同体の在り方を変えることでしょう。

さらにデータは、医療、環境、教育、少子化といった、これまでの社会＝経済資本主義の下ではなかなかアプローチが難しかった社会課題を、スマートに解決する鍵も握っています。そういう意味では、データは私たちの社会の風通しをよくしてくれる牽引《けんいん》役になる

と私は思っています。

では、いったい私たちの暮らしは、どんなふうに変わっていくのでしょうか？　本書を読む前にシミュレーションとして、「２０ＸＸ年、データ共鳴社会の未来図」をご紹介したいと思います。

①

〈Ａさんは今年の４月、念願かなって希望の大学へと入学することができた。しかし実はＡさんは家庭の都合で、多額の教育費を払うのが難しい状況だった。

そこで、ある銀行の「信用スコア」に基づく奨学金制度を利用することにした。これは、日々の行動データを蓄積し、その評価によって資金の貸出を行う金融サービスだ。

審査の結果、Ａさんは信用スコアを高く評価され、無事に奨学金を長期間無利子で提供してもらえることになった。そのため、無事に大学に入学することができたのだった〉

②

〈20XX年、B国では、「ライフログ」を活用した医療政策が注目を集めている。ライフログとは、睡眠、食事、運動といった生活上のデータのこと。これらのデータを国や自治体が管理し、国民をあらゆる病気から予防・回復する「先制医療」を社会政策の一環で実施しているのだ。

たとえば、歩行速度や体重の増減の変化などが見られれば、運動や食事に関するアドバイスが、ライフログを記録しているスマートウォッチなどに通知される、といった具合だ。あるいは、持病を持つ人にとっては、ある一定の周期で状況を把握してもらうことで、病院に行かずとも適切な自己管理ができるようになった。

この結果、「医療に無関心な人々」の健康状態についてリアルタイムに改善を促し、早期対応が可能となったことによって、B国は国家単位での医療費の抑制に成功した。データの力で「病院に来るのは健康への意識が高い人だけ」という社会課題を解決したことが大きいと言える〉

③

〈今Cさんは、スマホの画面を眺めている。ファッションにまつわるCさんの行動に対する「環境ポイント」をグラフで表してくれるアプリだ。

ファッション好きなCさんは、これまでありとあらゆる素材を使ったファッションを楽しんでいた。けれどもあるときから、ファッション業界が抱える環境問題、低賃金労働の問題に対しても関心を抱き、何かできることはないかと考えていた。

そこでここ3年は、環境に配慮し、倫理的にも問題のない「エシカル素材」を使った服を着続けると決めて、それ以外は身につけなかった。すると、その購買履歴が、モニタリングを実施している環境NPO（非営利組織）に「環境ポイント」として蓄積されていった。

その結果、Cさんは「ソーシャルグッド・ファッショニスタ」に認定された。また環境ポイントが高い人たちは、通常のお金では買えない体験をすることができる。新宿御苑の夜間拝見はその1つだ。環境に配慮する人たちのコミュニティが、自然を楽しむさまざまな方法を考えながら、その体験を深めていく。Cさんは「自分が環境に配慮するのはもちろん、自然と暮らす多様な豊かさをコミュニティと一緒につくっていこう」と決意するのだった〉

いかがでしょうか。①は、データの力で、これまでの資本主義経済ではなしえなかった融資を可能にしている例です。つまり、「信用」という価値を担保にして「貨幣」を得る機会を得ているわけです。

②は一転して、国家の視点からデータを利活用した例です。ここではデータの「個別最適化」という利点が最大限に活用されています。

③は、データの力で、これまで目に見えなかった「環境への貢献」を可視化していま す。その貢献の価値を評価するコミュニティが出てくることによって、社会の中に「共有価値(Shared Values)」が生まれます。

「共有価値」とは、「社会をこういう方向に変えると、よりよくなる」という価値のことです。こうした共有価値に基づくコミュニティがいくつも生まれ、大小さまざまに重なり合いながら共存する社会こそが、データ共鳴社会の目指す未来図です。

「自分もあなたも幸せ」な社会をデータがつくり出す

いろいろと事例を挙げましたが、私が特に本書で述べたいのは、③の方向性における社会変革です。なぜなら、データを活用することによって可視化された「共有価値」こそが、万人が豊かさを感じることのできる社会をつくる鍵だからです。

アメリカのジョセフ・スティグリッツやインドのアマルティア・センは、幸福度や豊かさを表す指標として「well-being（よき生）」という概念を掲げています。

これは、身体的、精神的、社会的に良好な状態にあることを指します。単純にお金やモノをたくさん持っているといった豊かさではなく、「生き方そのもの」に充足感を抱いている状態を指す言葉です。

ただ、一人ひとりの行動が世界とつながっている現代では、個人のwell-beingは、ともに共存しなければ意味がありません。「自分だけが幸せならＯＫ」ではなく、「こうすればみんな幸せだよね」という意識を一人ひとりが持つ必要があります。このwell-beingの共存のことを、私は「Better Co-Being（ともによりよくあること）」と呼んでいます。

そしてこの「Better Co-Being」の視点で生み出された価値こそが、先ほど述べた「共有価値」なのです。つまり、データの力で可視化された多元的価値がそのまま、「Better Co-Being」を反映した価値観であり、それに基づいた社会やコミュニティをつくることで、人々が主体となって社会を駆動させることを可能にするのです。

これまでは経済合理性の一元的な価値を重視したシステムで社会が動いていました。この中では、人の豊かさの指標も「貨幣」「モノ」の多寡《たか》で決まっていました。そうした価値観から人類を解放し、一人ひとりが豊かに生きるためには、どのように寄り添えばよいか？ という価値観に基づいて多様な社会やコミュニティがつくられるシステム、これこそが私が本書を通じて共有したい世界なのです。

それぞれ異なる多様な価値を大切にする、大小さまざまなコミュニティが、それぞれの価値観を大切にしながら共存している状態――これを私は「多層型民主主義」と呼んでいます。これこそが、今の民主主義を一歩進めるためのアプローチだと私は考えています。

とはいえ、この「多層型民主主義」を実現するための具体的な道筋を、私たちはまだ十分かつ具体的には持ち合わせていません。そこで本書では、私が専門とする医療・ヘルスケア分野での経験から、今後あるべきデータ活用社会の仕組みと未来のヒントをお届けしたいと思っています。

本書の内容は以下の通りです。まず第1章では、データ共鳴社会がいかに既存の社会システムを変化させるかについてお話しします。続く第2章では、私のこれまでのプロジェクトへの取り組みなどをもとに、日本社会が向かうべきデータ活用の方向性について述べます。

第3章では、データ共鳴社会における各産業の具体的な変化について詳しく述べます。第4章では、データ共鳴社会を実現するうえで残された課題の数々について、その解決策とともにお話しします。

最後の第5章では、データ共鳴社会の未来像を描きます。「Better Co-Being」が真に実現された社会――「生きるをつなげる。生きるが輝く」社会とはどういうものか、読者の皆様にその希望が伝わるよう、お話ししたいと思います。

なぜ本書を書いたのか

本文に入る前に、本書の執筆の動機についてお伝えしたいと思います。

1つは、最初に申し上げたように、データが実現する社会に対して、希望を持ってほしいからです。

そしてもう1つは、一人ひとりの個人が社会に対して希望が持てない限り、データ共鳴社会はうまく作動しない、と感じているからです。

データ共鳴社会では、貨幣以外の「多様な価値」が可視化されると述べました。そこで何を価値として見出すかは、一人ひとりにかかっています。それぞれの個人の「こういう価値観を大切にしたい」という意見が共鳴することで、その価値を大切にするコミュニティが発生します。それこそが「共有価値」であり、「Better Co-Being」を実現する基盤となります。

逆に言えば、「こういう価値を大切にしたい」という意識が一人ひとりになければ、共有価値は生まれません。だからこそ、1人でも多くの人がこのデータ共鳴社会のシステムを理解し、社会全体をここに近づけていく必要があります。

したがって、私は本書を通じて多くの人たちと、新しい社会について対話したいと思っています。それぞれが信じる多様な価値観がコミュニティとなって、経済合理性の一元的な価値から脱し、人々が多様な生き方を追求しながらもつながっている新しい民主主義が達成される——そのためには、そう信じる一人ひとりの個人の存在が、まず必要なのです。データ共鳴社会においては、ボトムアップでつながることは極めて重要な要素です。

本書を通してぜひ、これからの社会に希望を抱き、データが生み出す多様な社会の実現に向けて、力をお貸しいただければ幸いです。

データ立国論——目次

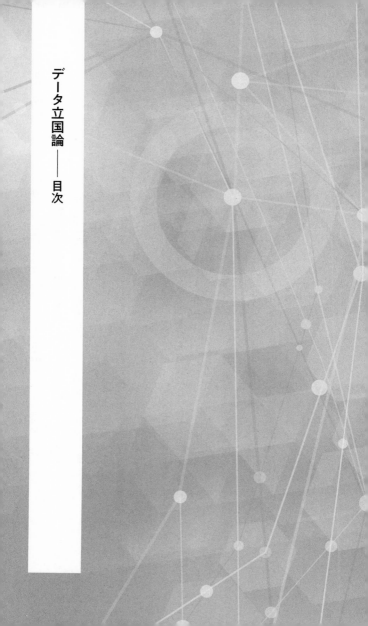

はじめに——データの力で「Better Co-Being」な社会を実現する——

第1章 データが変える社会——所有から共有へ

第2章 データ共鳴社会のつくり方

第3章 データ・シフトで変わる産業の形

第4章 データ共鳴社会の実現に向けて

第5章 生きるをつなげる。生きるが輝く——新たな社会へ

第1章

データが変える社会——所有から共有へ

「資本主義の転換」と「民主主義社会の分断」

「はじめに」でもお話ししたように、資本主義社会を回してきたのは「貨幣」です。貨幣とは何か。古代中国では貨幣として貝殻を使っていたことからもわかるように、貨幣とは、とどのつまり「モノ」です。

そう、これまで私たちの社会は、モノとの対価交換で回ってきたのです。「財」「貯」「買」すべての漢字に「貝」が入っていることがその象徴です。ここで、モノの所有こそが豊かさだと、私たちは太古の昔から刷り込まれていることに気づきます。

ところが近年、そんな資本主義の転換が各所で叫ばれています。象徴的なのは、世界経済フォーラムが「資本主義の見直し」を掲げ、２０２１年初夏に開催予定の年次総会（ダボス会議）のテーマを「グレート・リセット」としたことでしょう。

グレート・リセットとは、「協力を通じより公正で持続可能かつレジリエンス（適応、回復する力）のある未来のために、経済・社会システムの基盤を緊急に構築するというコミットメント」を指す言葉です。グレート・リセットでは、「社会の進展が経済の発展に取り残されることのないよう、人間の尊厳と社会正義を中心とした、新しいソーシャル・コントラクト（社会契約）が必要だ」とも述べられています。

世界経済フォーラムの会長を務めるスイスの経済学者、クラウス・シュワブは、イノベーションを活用したうえで公共の利益や健康、社会的課題に取り組む必要性を説いています。こうした発言からも、ＧＤＰ（国内総生産）というものさしだけで国の豊かさを捉えるのは限界であり、経済合理性のみを追求すればいい時代は、終わりを迎えようとしていることは明らかです。

さらに２０２０年、新型コロナウイルス感染症（ＣＯＶＩＤ−19）の感染拡大によって、我々は「いかに命と経済とをバランスさせるか」という究極のミッションを突きつけられました。と同時に、新型コロナウイルス感染症は「弱いところに皺寄《しわよ》せがいく」という現代社会の構造的問題をもあらわにしました。

新型コロナウイルス感染症は、人種による感染リスクや死に至る確率に差異はないことが最新の研究で明らかにされています。にもかかわらず、アメリカにおける新型コロナウイルスによる感染率、死亡率は、白人よりもアフリカンアメリカンのほうがたいへん高いことがわかっています。

この背景にはさまざまな要因が指摘されています。肥満や喫煙など新型コロナウイルスの死亡率を上げるリスクから逃れにくいライフスタイルにさらされていること。ステイホームが可能なホワイトカラーとは異なり、エッセンシャルワーカーとして働かざるをえず、リスクが高い人々の割合が多いこと。つまり、新型コロナウイルスにおいては、弱い立場にある人たちが感染リスクにさらされやすく、そういった格差が感染を広げてしまうのです。

コロナ禍のアメリカでは、２０２０年5月15日のジョージ・フロイド氏の死を皮切りに、黒人に対する暴力や差別をなくそうと求める「ブラック・ライブズ・マター」が再燃し、世界的なムーブメントに発展しました。私はこれを、民主主義の根源のところからの問い直しである、と感じました。

つまり、多様な民意を社会が受け止められていない。

「もう、これ以上は我慢の限界だ」。連綿と続く不正義を正すために人々が立ち上がり、アメリカという20世紀に最も成功した社会システムに対して、その在り方をいまいちど見直すように叫んでいる――私の目にはそう映りました。

こうした分断の問題については、日本も対岸の火事ではありません。日本の場合、より見えにくい隠れた分断が存在します。だからこそ、より繊細な配慮が求められるのではないかと思います。

既存の資本主義が転換期を迎え、新型コロナウイルスが民主主義社会における分断を暴いた今、我々が目指すべきは「既存の構造とは異なる、新たな社会システム」です。そう、その新たな社会システムこそ、データの利活用によって多元的な価値への対応を可能にする「データ共鳴社会」なのです。

こんな時代の局面にいるからこそ、私たちは、多元的な価値に目配りができる、やさしく、しなやかな社会を目指す必要があります。そのためには、「多様な価値を可視化し」「誰ひとり取りこぼさずに一人ひとりに寄り添うことができる」データの出番というわけです。

ＬＩＮＥ全国調査が明らかにした「さまざまな人々の痛み」

データが多様性のある社会の要《かなめ》になるというイメージを思い浮かべていただくために、ＬＩＮＥ×厚生労働省「新型コロナ対策のための全国調査」において私たちの研究グループが行った取り組みの一部を、ここで紹介したいと思います。

この調査は、初回は２０２０年３月31日～４月１日に行われ、日本の人口の２割近い約２５００万の回答が集まりました。自粛期間中の５月２日までに行われた４回分の累計では、９０００万以上の回答数に上ります。数の規模で言えば、国の施策の中でも国勢調査に次ぐ大規模な調査になったと言われています。

調査する指標としては、「37度5分以上の発熱が４日以上続いている」といった症状の有無にまつわる情報を集めました。発熱だけで感染の有無は決定できませんが、これだけの規模の回答が集まると、感染の特徴を示すような傾向がいろいろ見えてきます。そこに公衆衛生学的な観点から分析を加えると、流行状況の輪郭がいくつか浮かび上がってきました。

まず、初回の調査では、発熱者の職業ごとの割合を分析した結果、「長時間の接客を伴う対人サービス業、外回りの営業職」のグループは、平均の2倍近くも発熱の症状があるとわかりました。一方、「在宅勤務が可能なデスクワーク、専業主ふ」のグループは、平均の半分くらいの発熱率でした。

まとめると、次のような予測ができます。「3密」の回避や社会的距離（ソーシャル・ディスタンシング）の確保が難しいグループについては、感染リスクが高い。一方、家にいることは感染リスクを抑えるうえで相当有効そうだ。こうした認識を改めてデータで可視化することができたのです。

また、感染状況の把握や医療キャパシティの予測、リスク喚起につながる情報提供を考えながら、一方では、「経済活動を再開させなければ暮らしていけない」という綱渡りを多くの人がしているという現実にも視点を向けていました。

人々のそんな「綱渡り状態」に強い危機感を覚えたのは、2020年5月1日～2日の4回目の調査のときでした。雇用不安や経済的なダメージについて調べた際、「収入・雇用に不安を感じている」と答えた人は、タクシードライバーで82・1％、理容・美容・エステ関連で73・0％、宿泊業・レジャー関連で71・2％、飲食関連で62・2％に上りました。

3月にはドイツの商工会議所連合会から、「外食・ホテル業、旅行業では3分の2以上の企業が雇用削減が必要だと回答している」という報告がありました。この4回目の調査結果から、海外と同様に日本においても、ロックダウン（都市封鎖）を行うと人々が苦境に陥ってしまうという深刻な状況が見えてきました。

さらに、4回目の調査では抑うつ傾向についても調べたのですが、最も強い抑うつ傾向を示していたのは、大学生でした。「毎日のように憂鬱であった」と答えた人が14・4％、「楽しめていたことが楽しめなくなっている」と答えた人が13・0％と、全部のカテゴリーでトップを占めていたのです。若年層の重症化割合は低いという情報もあり、身体面での不安は、他世代よりは大きくないのにもかかわらず、です。

私は直感的に「これはまずいな」と思いました。授業はずっとオンラインで人と会わず、「学費が払えない」「親の仕事は大丈夫なのか」「就職活動はどうなるのか」と悶々《もんもん》とする学生も多かったはずです。どちらかと言えば、コロナ禍では健康リスクの高い高齢者にスポットが当たりがちでしたが、分析を通じてフラットに課題を可視化できたのは、色眼鏡で物事を捉えないデータだからこそだと思います。

結果、これら4回の調査を通じて、さまざまな立場にある方々の、さまざまな課題が見えてきました。これこそがデータが「多様な価値を可視化し、また一人ひとりに寄り添うことを可能にする」所以《ゆえん》です。

考えてみれば、私たちの社会において、多元的な価値への目配りは、新型コロナウイルスの流行前から始まっていました。「ＳＤＧｓ（持続可能な開発目標）」は、そもそも国連で採択されたものですし、環境、社会、ガバナンスに配慮した企業を重視する「ＥＳＧ投資」は、世界の潮流になっています。

さらにフランスでは、国ぐるみで持続可能な経済開発を目指す「グリーンエコノミー」を進めています。たとえば環境連帯移行大臣付副大臣ブリュヌ・ポワルソンが、「ファッションは人に夢を見せる産業だからこそ、サステナビリティに本気で取り組むべき」と言って、在庫や売れ残り品の廃棄を禁止する法律を早々に整備していたのは瞠目《どうもく》に値します（２０２０年2月10日から施行）。

しかしこうした下地があっても、多元的な価値を大切にすべきという意識は、いわゆるアンテナの高い人たちを中心とした認識でした。ところが、コロナ禍における「命と経済のバランスをどうとるか」という究極の選択を迫られたことで、多くの人々が「貨幣の外側の価値」に目を向け始めた――皮肉なものですが、そうした意味では今こそ、データ共鳴社会に舵《かじ》を切る重要なタイミングであると言えます。

最大多数の最大幸福から、最大〝多様〟の最大幸福へ

データ共鳴社会の大きな特徴の1つが「個別最適化と包摂《ほうせつ》性」です。個別最適化に関しては「はじめに」でも述べた通り、ＡＩとデータの組み合わせによって、資本主義社会のスタンダードとされていた「平均モデル」型のパッケージから脱することが可能になりました。

ものづくりにしても、サービスの提供にしても、あらかじめマーケティングをして、最大多数の「平均の人たち」に向けたパッケージをつくって提供するのが、これまでのデータ分析の活用法でした。しかし、ＡＩやデータ分析の技術が格段に上がったことで、それ

ぞれのニーズに応じた「個別最適化」をそれほど大きなコストをかけずに行うことができるようになりました。

もちろんこれは産業に限ったことではなく、社会システムの変革そのものに活かせる変化です。私は、日本のデジタル庁創設に向けた方針を検討するワーキンググループにおいて、次のような提案をしてきました。

最大多数の最大幸福（The Greatest Happiness of The Greatest Number）から、
最大〝多様〟の最大幸福（The Greatest Happiness of The Greatest Diversity）へ

これまでは「最大多数の最大幸福」、より多くの人が幸福を感じられる単一のパッケージを提供するのが基本的な考え方でした。しかし、個別最適化が可能なデータ社会では、「最大〝多様〟の最大幸福」――可能な限りの多様な価値、一人ひとりに寄り添う支援や枠組みを提供するべきだ、ということです。

この考え方に沿えば、これからの国や行政の発想も大きく転換すると思われます。具体的には、「統治者発想から生活者発想へ」「独占資本発想からデータ共有発想へ」「短期収益至上主義から持続可能な社会へ」とシフトしていきます。

詳しくは後ほど説明していきたいと思いますが、このようにデータ共鳴社会への移行とは、単なるデジタルシフトではなく、社会の基本思想を変える大転換であるということです。

ここで勘違いしてほしくないのは、「最大多数の最大幸福」自体は、今後も引き続き大切なアプローチだということです。ただそれだけに頼るのではなくて、データを通じた個別最適が可能であれば、その「オプション」で助かる人が必ずいます。「最大多数の最大幸福」と「最大〝多様〟の最大幸福」は車の両輪でもあるのです。

また、現実的なことを言えば、このようなデータ共鳴社会の仕組みを多くの人が理解していれば、その分だけデータの集約・蓄積が捗《はかど》るようになり、データ共鳴社会の実現に近づき、データの力で社会貢献していくことが可能になります。私のようなデータを扱う専門家が、メディアなどを通じて一人ひとりをエンパワーメントしようとしているのには、こうした背景もあります。

さらに最近は、「ダイバーシティ（多様性）」よりも能動的なアクションとして、「インクルージョン（社会的包摂）」という言葉が出てきています。これは、性別や人種、民族や国籍、社会的地位、障害の有無などのそれぞれの属性によらず、「すべての人を包括する」という概念です。

データ共鳴社会は、この「誰もとりこぼさない社会にする」という理想を現実にします。したがって、これまでの経済資本主義の下で、自分たちは「大きな社会や組織の中にいる、歯車の1人だ」と感じてきた人たちも、「最初に一人ひとりの個性や生き方があって、そのそれぞれの可能性を引き出すために社会や組織がある」という発想を持てるようになります。

「一人ひとりが多様な価値観を持ち、その多様な個性が響き合う社会」。データ共鳴社会が目指すのは、こんな未来図です。私たちの社会がその分岐点にあることを、「最大〝多様〟の最大幸福」というコンセプトで提示したいと私は考えました。

ネットフリックスが「ニッチだが濃い」作品で攻められる理由

コンテンツ産業のクリエーションも「個別最適化」の方向へと大きく様変わりしています。その流れをつくり出したのは、「ネットフリックス」です。データを活用して個々人の嗜好《しこう》をとらえ、一人ひとりの視聴者にマッチした動画の配信という、新しいマーケットを生み出しました。

従来のクリエーションは、天才的なつくり手が「これが最高の作品だ！」と風上から風下の消費者に届けるやり方が一般的でした。あるいはハリウッド映画が典型ですが、外れの少ない「ヒットの王道」パッケージに沿って、大衆受けするコンテンツを量産するというやり方です。

いずれにせよ、プロダクト・アウト的な発想にとどまっています。今までは、データによる細やかな分析ができなかったので、こういう作品が受けるだろうという「平均値」に沿った画一的なコンテンツをつくらざるをえなかったのです。

ところが、ネットフリックスの場合は映画館というハコが要らないので、「映画館を多くの人でいっぱいにしなければならない」という制約がありません。その代わり、コンテンツをどう届けるかについて非常にこだわりました。その結果として、個々人の嗜好をデータで徹底的かつ細やかに拾い上げ、その一人ひとりに響くコンテンツを制作し、チョイスしてもらえるようにする、という戦略をとりました。

たとえば、ＬＧＢＴの人が世界をどう見ているか、アメリカに留学したインド人留学生が何に困っているか、あるいは、食の達人たちが何を考えているか。そんなふうに、従来なら視聴者が多く見込めずニッチな市場と切り捨てられてきたコンテンツであっても、そのコンテンツに興味を抱くであろう視聴者を把握し、個別にレコメンデーションできれば、ビジネスとして成立するのです。

クリエーションにおいても、「ニッチだから企画にならない」「視聴者数が期待できないから制作費がとれない」とされてきたコンテンツが、ビジネスとして成立するようになります。そうすると、予算がつくうえに、他の媒体では真似できない独自性の高い作品が生まれるので、おのずとコンテンツの質も上がっていきます。

このようにデータを利用して「ニッチだけれども質の高い」コンテンツを多数取り揃えることで、ネットフリックスのオリジナル映像作品はヒットを連発しました。これが、ネットフリックスが新たにつくり上げたマーケットなのです。

ここで「データを利用して」とサラッと述べましたが、彼らが放映する映像作品の分析は、驚くほど細やかです。その分析は、「視聴を続けたいと思ったかどうか」「つまらなかったか」といった単なるアンケートのようなものではありません。たとえば分析の解像度について述べると、1つの作品に対して、分析の入り口にする「タグ」が約2000個もついているのです。

だから、観ている人が作品のどのシーンに感動したのか、あるいはどのシーンで飽きて離脱したのかを事細かに把握しています。また、ヒットした作品について、作品が持つメッセージ性が受けたのか、それとも主人公のキャラクターに惹《ひ》かれたのか、といった要素別にも分析ができています。

つくり手側は、これらの分析結果を整理し組み合わせることで、従来より「踏み込んだコンテンツ」を仕掛けることができます。さらに観る側も、つくり手側の事情で「王道のパッケージに沿って」つくられたコンテンツではなく、自分の感覚、感性にフィットした「濃い」コンテンツだけを選んで観ることができます。そうした自分に合う作品のレコメンデーションすらも、データがやってくれるのです。

ここでは、多様な映像作品を私たち一人ひとりに提供するネットフリックスのお話をしてきましたが、彼らのような提供主体が増えることによって、自分の価値観や感性により合致したコンテンツの選択肢が広がっていきます。まさにデータの利活用によって、多様な価値の共存がなされているのです。ある1つの価値観＝「とにかく視聴者数が多ければいい」という考え方から脱して、多様な価値観に基づくさまざまなコンテンツが用意された環境とも言えるでしょう。

これは「最大〝多様〟の最大幸福」の項でも申し上げた、社会システムの選択の話にも重なります。「最大多数・最大幸福の平均値を、とにかく上げよう」という社会システムから、「誰も取り残さずに個別最適をして、個人がよき生を選択できる社会に」といった社会デザインの基本的な思想が、ネットフリックス的な思想には見え隠れしています。

この方向性がさらに進むと、これまで当たり前とされていた価値観——経済的価値や視聴者数絶対主義——とは別の価値について、個々人が自らの選択の積み上げを通じて、自分自身で認識し、社会に還元するというシステムが生まれていくのです。

データ共鳴社会は「民主主義のアップデート」か

これは少し大きな話になりますが、今、私の脳裏には、こんな考えが浮かんできます。ひょっとすると、民主主義の基礎を築いた17世紀の思想家、ジョン＝ロックが提唱した世界を、データ共鳴社会によって、私たちはもう一度目指せるのではないか、と。

ざっくり説明すると、ロックは「人が他人と合意を交わし合い、みんなの『したい』『する』を重ね合わせながらつくる市民社会」を目指していました。

私はこのロックが目指した理想の市民社会に、「生きるをつなげる。生きるが輝く」、つまり、それぞれの人が持つ多様な価値観が響き合い、輝き合い、それでいて共存する世界観を見出しました。ロックが理想として描いていた市民社会、それも、ロックが生きていた当時のものではなく、現代社会に相応しい民主主義をしっかりと取り込んだ市民社会が、データの力によって実現できるフェーズに入った、私はそう実感しています。

ロックの思想のポイントは、理性を働かせ、皆が相互に平等な関係性を保っていく主体になるのは、「神にすがるものではなく、自分の足で立ち、自分の足で歩く『人間』である」というところでした。

これを理解するために、少しの間、人間と社会デザインの歴史を振り返ることにしましょう。ここでのポイントは「人間は、常に不確実性と戦ってきた生き物である」という点です。

まず、人間にとって不確実性の最も原初的な体験は、荒れ狂う「自然」でした。典型的なものは、洪水に対する「治水」です。４大文明を皮切りに歴史を繙《ひもと》くと、「治水」から人間の文明は開かれたことがわかります。

洪水への対処に手をこまねいていた人間は、不確実性に対する説明を神や王権性などの定言命法的価値に委ねました。定言命法とは、通常の「～ならば、～せよ」という論法と異なり、「無条件に〜せよ」と命じる手法です。人々は、一緒に働いていた牛を神格化したり、川を竜に見立てて崇《あが》めたりしながら、不確実性に対する心構えをシステムとしてつくっていきました。そして、定言命法的価値の世界が人間に対して確実性の保証をした中で、安心して働いていくというスタイルができ上がりました。

治水が政治の原点だと言われるのは、こうした歴史が世界各地にあるからです。日本でも江戸時代、優れた経世家で多くの地域に足跡を残した二宮尊徳が、まず取り組んで成果を挙げたのは治水でした。

治水が整備されて農業が発達していくと、人間はある種の歯車として、いわゆる「農耕システム」に組み込まれていきます。ユヴァル・ノア・ハラリの世界的ベストセラー『サピエンス全史』（河出書房新社）の文脈で言うと、農業革命で人は「穀物に家畜化された」「貧富の差と争いを生み出した」ことになります。農耕を安定させるうえで暴れる河川を手なずけながら定住し、その結果として封建社会が生まれていきます。

次の転換点は、ペスト（黒死病）の襲来でした。14〜15世紀にかけて爆発的に流行したこの疫病は、1億人近い人々の命を飲み込みました。暗黒の中世です。

そこで、神に対する信頼が揺らぎました。人々のマインドはガラリと変わります。「王や神に委ねておけば、すべて大丈夫なはずではなかったのか?」と。これまで、定言命法的な原理に委ねられていた不確実性の説明を、ペストが全部踏みにじっていったわけです。

この不確実性への価値観が揺らぐ時代に生まれたのが、「人間礼賛《らいさん》」のルネサンス（再生）です。ここから近代の初頭にかけて民主主義の萌芽が出てくるのですが、王権社会から民主化に踏み出す市民革命への流れについては、ロックの思想をお伝えするのにとても重要なので、次の項で詳しく述べます。

封建的システムの後に、人が不確実性の説明を求めたのは「経済」でした。18世紀後半に産業革命が起こり、人間は「経済合理性」を軸とする社会システムの歯車になることで安心を得ようとしました。

それは強力に人の暮らしを引っ張るものでしたが、蓋《ふた》を開けてみたら安心とは程遠く、社会の格差も開いてしまいました。個々の生き方を考えてみても、経済合理性の世界に人生を捧げた結果、最後の余生を過ごす頃にようやく自分の時間ができる、というような状況です。それでも最小不幸を実現し、モノが行き渡るまではとても有効であったと言えます。しかしながら、一定レベルにモノが行き渡った社会を中心に疑問が生まれることになります。「私たちが勝ち取った自由で人間らしい社会とは、本当にこれだったのか?」と。

そして今、その揺り戻しから、人々は多元的な価値に目を向け始めています。これまで述べてきたように、「SDGs」「インクルージョン」といった社会の刷新が始まりました。さらに新型コロナのパンデミックで、その流れに拍車がかかりました。我々は「経済合理性にすべてを託していれば大丈夫」という段階から、次なるシステムに移行する時期に来ています。

今は第二のルネサンス期

ここまで駆け足で人類の歴史を振り返りましたが、本来のテーマに立ち戻り、なぜ私がジョン＝ロックに注目するのかをお伝えしたいと思います。まず定言命法的価値への信頼が揺らいだ時代の、王権社会から民主化に踏み出す市民革命への流れの中にいた、啓蒙思想家たちの考え方を、ざっくりご紹介します。

中央集権化が進んだ16世紀以降、ヨーロッパは「絶対王政」の時代に突入していきます。権力を手に入れた王の思想的な支柱になったのは、「世界は神がつくり、王は神から権力を授かった」という王権神授説です。

当初、人々は疑問なくこれに従っていましたが、定言命法的な価値からの世界への信頼が揺らぐ中で、「そもそも、なんで私たちを治める王がいるんだろう」と疑問を抱くようになりました。

決定的だったのが17世紀後半、近代国家の輪郭を人々が模索する中で登場した、トマス・ホッブズやジョン＝ロックをはじめとする思想家たちでした。

彼らは明確に、「王権神授説は間違っている」と主張し、自由で平等な個人が互いに契約を結ぶ「社会契約」が必要だと説きました。ただ、その社会契約の中身は、それぞれ別の形を思い浮かべていました。

ホッブズは、「人間というのはもともと、万人の万人による戦いだ」と考えました。要は「人間は放っておくと、殴り合いや殺し合いを始めてしまう」という弱肉強食の状態です。人間そのものへの洞察も、自己保存の欲求が強く、他者への虚栄心も強いうえに、自己保存の権利に対する意識が強いと考えていました。

ですから、そうさせないために政府という統治機構を置いて国家をつくるべきだとホッブズは考えたわけです。彼が思い浮かべる「社会契約」の形は、「人々は、自分たちを守ってくれる国家に絶対服従すべきだ」という考えに基づくものであり、君主制を容認しました。

それに対して、ロックの提唱した「社会契約」は、だいぶ違う考えです。ロックには「人間そのものは、理性と良心の命ずる節度を持つ、社会的で理性的な存在」という人間観があり、「人間には他者への愛があり、人と人との支え合いによって社会が成り立っている」という前提に立っていました。

とはいえ、ある程度の制御は必要であり、「権利の一部を政府に信託して委ねる。けれども、国家や政府が市民の意思に反した場合には、市民は委ねた権利を再び取り戻して、政府を取り替えることができる」という考え方でした。したがってロックの考えは、議会の重要性、ひいては、行政、立法、司法といった機能の分散を志向していました。

ロックが早々と提示していた、民主主義の根幹となる考え方自体は、今もなお価値があるものです。ロックはあの時代において、相当進んだ考えを持っていたと思います。ただ残念なのは、理想のままで据え置きになってしまったことです。彼の言う「人と人との支え合い」を見越した統治というのは、現実世界では、そうそううまくはいきませんでした。なぜなら、それぞれの目指す世界がバラバラでは、それぞれの協調も、政府からすれば舵取りも、容易ではないからです。

それがテクノロジーが進んだ今、データによって、それぞれの個人やコミュニティが目指す世界に最大限寄り添うことが現実的に可能なフェーズに入ってきました。それぞれの考えるソーシャルグッドな「生き方」を尊重し合い、共存することが可能になったのです。

その意味では、歴史になぞらえて言えば、まさに今は「第二のルネサンス」と呼ぶことができるかもしれません。今こそ、「人間らしさ」をもう一度追える時代なのではないか、私はそう考えているところです。

ヒューマニティを正しく捉えよ

ちなみに、有名な『社会契約論』を著したのは、ロックの後に出てきた思想家、ジャン＝ジャック・ルソーです。フランス革命の指導者たちにも影響を与えたルソーですが、彼の場合は、「『一般意志』に従って、直接選挙で国を統治しよう」という主張を唱えました。

「一般意志」という言葉がややとっつきにくいですが、彼は最初に「人間は本来、自由な存在として生まれたはずなのに、いたるところで鉄鎖につながれているのはおかしいのではないか」という疑問を持っていました。結局、人は政治権力に抑圧されてしまい、不平等になっているじゃないか、と。したがって彼は、国家を生み出す「社会契約」には、特定の政府に抑圧されることなく、国民全員一致の合意として、人間の良心である「一般意志」を反映しようと書いているのです。

大まかに言うと、共同体として公共の福祉という理想を目指そうという主張なのですが、「一般意志」という1つの解を導き出そうと思っても、現実的には非常に難しく、実行しにくい。さらにルソーの考え方は、ややもすると、汎神論《はんしんろん》的に別の何かに神を置き換えられたり、全体主義的な思想に結びついたりするリスクもあるわけです。

だからこそ私は、今求められているのはジョン＝ロックのアプローチだろうと考えています。彼の考え方の深部を理解するためには、もう一度「人間性とは何か」を見つめ直す必要があると思います。

たとえば、人を生物学的視点で見れば、「遺伝子を乗せる生命の箱」という言い方もできるかもしれません。そんな生命の箱を効率よく動かすために生まれた器官が、脳であるという表現もできるでしょう。

しかし、その脳が「これが大切だ」と思っているという、まさにその感情自体は、かけがえのない、とても尊いものだと私は思います。その感情を抱いた主体こそ、まさに人間そのものなのです。我々は今こそ、この「人間性とは何か」という原点に立ち返って、そこから社会システムを考えるべきではないでしょうか。

また、人間は、他の動物に比べて不完全な状態で生まれてきて、他者の庇護《ひご》を絶対的に必要とする生き物でもあります。1人だけでは生きていけないというのが人の本質であり、人は誰かと関係性を結びながら信頼をつくり、社会や家族がそこにでき、コミュニティを形成していきます。

その中で、個々がよりよく生きるために文化なり、文明なり、社会なりを形成してきました。そんな人間のありようを、ジョン＝ロックをはじめ、宗教戦争が吹き荒れる難しい時代を生き抜いていた当時の人々は、かなりはっきりと見抜いていたのではないかと思います。

その後、現代に至るまでに、人間は近代化とポストモダンを経験します。その間に人間社会は、近代国家観を確立し、あるいは産業社会の大きな変遷を経験しました。そして今、そんな大きな物語から、個々人の物語へと回帰しようというターニングポイントを迎えています。

ここまで、不確実性の説明を何に求めるかという話をしてきましたが、我々はそれを「定言命法的価値」でも「経済合理性を軸にしたシステム」でもなく、「人々」に求めていると言えるかもしれません。つまり、世の中を回すために人間がつくってきた定言命法的コアバリューが徹底的に疑問視された末、絶対的価値のみで社会をつくり上げることが困難になり、「人々」の多様な価値で多層型のコミュニティを共創する時代が訪れた――。

こういう局面において、人間はまた「新たな絶対価値」をつくりがちです。たとえば、ＡＩやデジタルの世界を「新しい神」に見立てる考えも生まれています。あるいは、「すべてを自然に委ねよう」「地球が泣いている」といったガイア論のような考えも散見されます。

しかしながら、そうした価値を新たに見出している主体そのものも、人間です。やみくもに絶対価値をつくり出すことは、非常に危ういと感じます。

また、いくら「人々の時代」とはいえ、人間が人間らしくあるためには、他者との関係性が欠かせないということは、ジョン＝ロックを引き合いに出すまでもなく、歴史が物語っています。だからこそ、一人ひとりの「生きる」というところに立ち返りながらも、その一人ひとりの「生きる」を「響き合わせる」ことに真摯《しんし》に向き合う必要があります。そんな社会が実現すれば、これまでの人類の歴史になかった、真に新たな未来が拓けるかもしれません。

所有財から共有財へ、データによって豊かさの定義が変わる

ここまでホッブズ、ロック、ルソーが、「自由で平等な個人が互いに契約を結ぶ『社会契約』が大事」だと説いた背景について見てきました。考え方の差異はありますが、これによって、民主主義への礎《いしずえ》ができました。理念的には、人間の自由と平等を担保する仕組みが成立したわけですから、人類にとって大きな前進でした。

それでも結局のところ、民主主義は大きな問題を抱えています。それは「格差」と「分

断」です。そのことは、本章の初めにも触れた「ブラック・ライブズ・マター」の例を見ても明らかです。かつて王の周りにいた人たちや領主だった層が、そのまま横滑りして支配層になっていくといった格差の構図は、今なお厳然としてあります。そもそも、人間の思考が「貨幣＝価値＝所有」というくびきから解き放たれない限り、格差が連鎖する構図からはなかなか逃れられないでしょう。

だからこそ、格差の連鎖と人々の分断を止め、多様な豊かさをつくっていくために、新しい手立てを獲得していかなければなりません。私はその手立てとして最も有力なのが、最初に戻りますが、データだと考えています。

データと言うと、一抹の不安が頭をよぎる方もいるかもしれません。よくあるのが、「データ共鳴社会は、人々を監視するディストピアの始まりか？」といった悲観的な意見です。もちろんデータが一部の層に独占されることでそのような可能性もあります。しかし私は今こそデータが拓く新たな可能性に目を向けるべきだと思います。データは、多様な価値観の尊重を導く新たな社会につながる可能性もあるのです。

データ共鳴社会を正しく理解するうえで、覚えてもらいたい概念があります。それは、データは貨幣などに象徴される所有財ではなく、「共有財」の側面も持つということです。データが共有財として社会を駆動させることによって、人々の自由や平等が担保される新たな社会システムが生まれるのです。

たとえば医療データの場合、ある1人の患者の医療データがあったとしましょう。こんな症状が出て、熱が何度で、効いた薬の名前がこれです、といったものです。

それだけでは、データは大きな価値を生みません。ところが、このようなデータが1万人分集まれば、新しい治療法が見つかるかもしれません。そうすれば、以後同じような症状が出た人々みんなが、その恩恵を受けることになります。

つまり、「一人ひとり」が情報を蓄積していくことで、「一人ひとり」がよりよい医療を受けられる。これがデータの力です。これが10万人、100万人単位のデータになってくると、全体としてさらに価値が上がります。

ここで重要なのは、データは「使ってもなくならない」ということです。うまく運用すればデータはその価値を惜しみなく、かつ、分け隔てなく人々に供給することができます。そこが、従来の「所有財」との大きな違いです。

たとえば貨幣の場合、使ってしまうと手元からなくなるため、「いかに排他的に（他人より多く）所有するか」という権利構造になります。誰がどれくらい貨幣を所有するかという豊かさでしか、社会が動いていなかったわけです。しかしデータの場合、逆に「共有すればするほど、自分も社会も豊かになる」構造を持っているのです。

ただし、いくら使っても減らないデータも、その価値を失うことがあります。それは「信用」が失われたときです。データ運用に関わる人の中で、それを改竄《かいざん》したり悪用したりする人が現れれば、そのデータに対する信頼性が失われてしまって、価値が目減りしてしまいます。

あるいはデータの中央集権的な一元管理が行われてしまえば、それは個々人の不利益を生む可能性があります。中国の信用スコアで指摘されている問題点は、まさにそのような部分になります。

したがってデータも万能というわけではなく、あくまでも「共有財」という前提に立って、扱うえでのルールを社会全体で考えていかなくてはなりません。

現在、世界的にも「データは独占してはならない」という意識は浸透してきました。歴史的な転換点になったのが、２０１８年にＥＵ（欧州連合）で施行された「一般データ保護規則（General Data Protection Regulation：ＧＤＰＲ）」です。

大まかに言えば、ＧＤＰＲは「あらゆる市民が、国や企業に提供した個人データをコントロールする権利がある」ことを定めたルールです。個人の「データへのアクセス権」を保障するこの画期的なルールによって、それまでのＧＡＦＡに代表される、データを人知れず大量に収集して勝手にお金に換えるというビジネスは、許されない時代になりました。

ＩＴ企業の側もＧＤＰＲを受けて、新しい倫理を模索する動きが生まれています。たとえばアメリカのテックジャイアントは「AI for Social Good」「Data for Good」といった原則を掲げ、「社会のためにデータを使う」という意識を高めつつあります。データというのは、一部の国家、企業が独り占めして排他的に所有してはならない、「共有財」なんだという認識が、世界共通になってきた証拠だと思います。

ただし、ＧＤＰＲそのものの運用は、データガバナンスとしては、ハードルが高すぎました。「データ活用には常に個別同意が必要だ」という考えが強すぎて、データを利用する側がかなりの頻度で同意取得を行う必要があります。その結果、動かせるデータが限られてしまったのです。こうしたシステムの背景には、従来の所有財としての延長線上で運用の仕組みを構築した点があると思われます。権利擁護とデータ活用のバランスをとった運用の仕組みにつながらなかったことがＧＤＰＲの最大の課題です。

21世紀において、まず最初に確立すべきなのは、「ＧＤＰＲのその先」のルールとして、データをいかに活用していくべきかというロールモデルだと思います。共有にその本質があるデータの扱い方を、今後、私たちは積極的に創発していく必要があるでしょう。世界を揺るがすＧＤＰＲは重要なキーワードですので、導入のビフォーアフターにおける変化と今後の課題については、第２章で詳しく述べます。

「共有価値」でまちをデザインする

本章の最後に、データ共鳴社会の芽生えとも言える、「貨幣の外側の価値」で動くコミュニティの紹介をしたいと思います。

実はすでに日本でも、ある地域における近い価値観の人同士をデータの力で手繰り寄せ、「共有価値」の響き合いを巻き起こしながら、まちをデザインするチャレンジが始まっています。

ここでは、「面白法人カヤック」が鎌倉市などで展開中の「まちのコイン」というコミュニティ通貨の取り組みをご紹介します。私は神奈川県の顧問を務めている関係でこのプロジェクトの担い手たちとつながりができ、当初から関わっています。

この「まちのコイン」は、「使えば使うほど、仲良くなるお金」をテーマに掲げた、まちを舞台にした「体験エンタメゲーム」のようなものです。たとえば、まちの能舞台の手入れをする、ビーチクリーニングに参加するといった「体験」をすると、その地域内の飲食店で使えるコインを獲得できる。地域貢献をすることで、特色ある地域ならではのスペシャルな体験が得られるというシステムです。

この取り組みのポイントは、データを通じて、それぞれが興味・関心のあるテーマに応じた人のつながりがどんどん生まれるところにあります。「同じ場所にいるから」ではなく、「こんな体験をしてみたいな」という興味・関心の軸によって人と人とが出会うので、地域の中にどんどんつながりが生まれます。言うなれば、「志の縁」をつくる仕組みです。

カヤックは、地域固有の魅力を「資本」と捉えて「地域資本主義」を標榜《ひょうぼう》している会社です。そうした「貨幣の外側の価値」をデータの力で可視化し、つなげる。まさにデータ共鳴社会的な発想だと言えるでしょう。

この取り組み自体は、データの扱い方の設計次第で、活用範囲をどこまでも広げていけるでしょう。現に、カヤックは行政や市民を巻き込みながら、「まちのコイン」以外にもさまざまな仕掛けを展開しています。GDPに代わる指標を企業側からつくっていく試みとしても、新たな地域自治の在り方としても、熱い取り組みだと思って応援しています。

こうした自発的な取り組みで、市民側に「自分たちのできる範囲で、自治運営にも関わろう」というマインドが生まれてくると、まちは一気に活気づきます。「でかカボチャ」で市民主導の取り組みを行っている北海道のニセコ町《ちょう》もその1つです。

ニセコ町では、以前から「自治基本条例」という条例を作成しており、その条例には「情報共有の価値」が明記されています。そこでは、情報は役所だけが出すのではなく、「みんなが出し合う」ことをポリシーにしているそうです。

その結果、一定以上の情報リテラシーの人たちが集まった「直接民主制」のような形の地方自治が生まれています。これは非常に興味深い事例です。今、私は「これからウォッチしていきたいニッポンのまち」の上位にニセコ町を入れています。

実は最初にニセコ町の取り組みを知らせてくれたのは、私の知人です。彼がニセコ町を訪れたときに、駅前やまちのいろいろなところに「でかカボチャ」がずらっと並んでいて、圧倒されたと話していました。いわゆるハロウィーンのランタンで使われるような、特大サイズのカボチャで、一つひとつが手づくり。全部が違うデザインのオブジェになっていたというのです。

どうしてこんなユニークな取り組みが始まったのか。きっかけは、ある1組の農家夫婦の「夢想」だったと言います。

そのご夫婦は、「カボチャがいっぱい並ぶまちが素敵だね」といつも話していたそうですが、ご主人は残念ながら他界されました。その後、奥様が残念そうに、生前夫婦で話していた夢を別の人に語ったところ、「じゃあそれ、みんなでやろうよ」と話が盛り上がっていき、自主的に「でかカボチャ」を育てて提供する人が増え、気づいたらまちの景観になるぐらいの数が集まるようになったとのことでした。

こんなことが実現するのも、人口が5000人程度の規模のまちならではですが、歩道を歩くだけで、アグリツーリズムができてしまうぐらいの景観とは驚きです。

まちの人たちは税金を1円も使わない形でそれを実現したそうですが、「こうしたい」を重ね合わせることで、「いいね！」「ぜひ、やろう！」の輪が広がり、最終的には、まちに住んでいる人も、まちを訪れた人も、気持ちがほぐれるような「どこにもない体験」が創出できたわけです。

この2つの事例――まちのコインもニセコのカボチャも、「お金には換えられない価値」に重きを置き、まちを盛り上げるために何をすればいいかとアイデアを出し合い、そこで交わされるコミュニケーションに価値づけをしているわけです。そうすると、お金ではなく「気持ちの循環」ができて、まちが元気になるわけです。

多元的な幸せというのは、たどっていけば、一人ひとりを発端とする「ほんの些細《ささい》な幸せ」です。でも、その「小さな意見」を拾い上げ、うまく連動させながら、人との輪を広げて経済を回していくというのは、まさに「データ」にしかできないことです。「こうしたい」の響き合いさえ確認できれば、無理なく持続可能な形で、市民はこの仕組みを回していけるわけです。ここで彼らが共通して大事に回しているのは、お金よりも「人の輪」なのです。

「はじめに」で、こうした人々の共有の価値群を「共有価値（Shared Values）」と呼ぶと言いました。一元的な価値で統一するのではなく、いろいろな価値観が並存し、関係し合うイメージですので、あえて「Values」と複数形で示しています（共有価値群、と言ったほうが正しいかもしれませんね）。

これらの「共有価値」が無数に共存する中で、響き合い、輝き合うコミュニティ。これが新しい、共創的な地方自治のイメージです。この「共有価値」をいかにデータの力でデザインしていけるかが、来《きた》るべき未来の「新しいまちづくり」において重要な視点となるでしょう。

人の「生きる」が響き合う社会へ

私は現在、日本政府が推進する「Society5.0」というプロジェクトにも関わっています。このプロジェクトが目指すのは、狩猟社会、農耕社会、産業社会、情報社会に続く第５の社会です。第５の社会では、ドローンやＡＩ家電、ロボットやビッグデータを駆使した医療・介護といった新しい地平が広がっています。

しかしながら、新規性ばかりに目を向けてしまうと本質を見誤ります。ここで謳《うた》うのは技術面だけでなく、人々の生き方や社会の在り方にも変化をもたらす超スマート社会です。そして、最も大事な要素として、「経済合理性という巨大なシステムの歯車として人々が生きるのではなく、多元的な価値を軸にしながら人々が社会を共創する」というビジョンも掲げられています。むしろこの新しい生き方、新しい価値軸に目を向けていきたいと考えています。

これは、まさしく私が一貫して自分の中に持ち続けてきた問いと共鳴するテーマです。私は学生時代から、社会そのものが劇的に変化していく中で、「命を響き合わせて一人ひとりがつくる多様な社会」に向けて、自分なりのアプローチで貢献していこうと考えていました。

自分のライフワークにつながる原体験の1つが、学生時代にルーヴル美術館で見た、『モナリザ』です。この秀作を生み出したレオナルド・ダ・ヴィンチは、私の中で、歴代最高のクリエイターだと考えています。

この作品を見たとき、私は「なるほど！　これがレオナルドのアプローチか。超かっこいい！」と思いました。と同時に、「自分の生き方はこの作品が表しているテーマそのものだ」と考えるに至りました。そのぐらい、インパクトのある鑑賞体験でした。

私は、人類社会における基本構成要素となるような、普遍的な概念を体験価値として示したのが、この『モナリザ』だと考えています。レオナルドは作品を通して、社会における人類のco-creation（共創）の在り方を問いかけていると感じました。

彼は、「数学者だけが、私の絵の価値がわかる」というメッセージを遺《のこ》して世を去ったそうですが、そうした伝説に私の勝手な解釈も織り交ぜて言うと、それは「人類にとっての方程式は何なのか」という問いだと思うのです。

その方程式とは、「世界中で人と人が邂逅《かいこう》し、微笑みで結び合うこと」。これこそが、人類に最も不可欠な方程式であろうと彼は考えたのではないでしょうか。それは、これから社会がどんなに変わっていっても、１０００年経ったとしても、普遍的に人が必要としているものであろう、と彼が考えたように感じました。

私は、彼の思想が凝縮されたその１枚の絵を見て、「彼が、その生涯をかけて学んだすべての要素を駆使して、世界の普遍を表現しているのがモナリザだ」と、天才画家の粋を感じて、しびれたのでした。

『モナリザ』に描かれている女性は神ではなく、普通の人にすぎません。何か大きなアクションをするわけでもなく、ただこちらに向かって微笑みかけているだけです。当時の美の観点から見ても、この女性は、とりわけ美人であるというわけでもないようです。

そして、後光が差す宗教画と違い、彼女の背後に広がっているのは、世界です。そう、『モナリザ』はまさしく「人」なのです。私は絵を介して『モナリザ』という「人」と出会ったわけです。それは、往来の中での「あなたと私」が穏やかな気持ちでつながり合った、という体験にほかなりません。人と人がつながり、世の中を形づくっていくんだという意思表示が『モナリザ』にはあり、こうした考えがルネサンスの本質の1つだと考えています。

「はじめに」で私は、今後必要なのは、みんなが「ともに」関係し合って「よりよき生」を響かせ合う「Better Co-Being」という視点だと書きました。この「Better Co-Being」は、私の『モナリザ』との出会いを表す言葉そのものでもあります。

人と人が響き合い、つながる。それは、ＳＤＧｓの先に来る概念のはずです。ＳＤＧｓ

は、どちらかと言えば、国際機関や国が主導しているイメージがあります。ともすれば、「誰かがつなげてくれる」というふうに受け止められてしまいます。

けれども、「生きるをつなげる」という意味合いの「Better Co-Being」は、極めて能動的な意味合いです。この言葉には、ともに在る、ともによりよくしていくことを、前向きにアクションしていくという響きがあります。

『モナリザ』の絵が象徴するように、私は社会変革というのは、一人ひとりの「生きる」を原点にしつつも、「共鳴し合って、ともに在る」形で実現しなければならないと考えています。データで駆動する社会を思い浮かべて、そこに、レオナルドが表しているポジティブな人間像を重ね合わせてみると、「人が」共鳴し合って、新しい社会をつくる、今ここからの未来像が見えてくる――私はそんなふうに思っています。

第2章

データ共鳴社会のつくり方

コロナ禍があらわにした「データ・ガバナンス」の格差

前章ではデータ共鳴社会はなぜ革新的なのか、その新しさについて述べました。本章では、データ共鳴社会をどう実現していけばいいのか、そのヒントを、新型コロナウイルス感染症対策に関する数々の事例をもとに考えていきたいと思います。

新型コロナウイルス感染症は、それまで顕在化していなかった各国間のさまざまな格差をあらわにしました。中でも格差が大きかったものの1つが、各国の「データ・ガバナンス（データ資産の管理・統制）」の整備状況です。

たとえば台湾は、2002〜3年に流行したSARS（重症急性呼吸器症候群）の際に学んだ経験を活かして、初動から実に速い動きをしていました。感染源である中国からの入国制限を早々に決め、市場のマスクの在庫データを把握し、政府が買い上げることで流通を管理。コンビニで健康保険カードを挿入すればマスクの予約と受け取りができるようにしたうえ、マスクの自動販売機も設置していました。

特に話題になったのは、台湾政府がマスクの残数を示すオープンデータを活用して、それをリアルタイムに公開していた「マスク在庫マップアプリ」です。デジタル担当政務委員（閣僚）の唐鳳（オードリー・タン）による柔軟な運用もさることながら、市民の技術ボランティアらが行政とともに開発に携わる取り組み、「シビックテック」が果たした功績も大きいと感じます。人口が２５００万人足らずの国だからできたという側面はありますが、明確な「見通し」を持った施策の迅速さは素晴らしいと感じました。

その一方で日本は、地震や台風以外の有事の「見通し」の想定が十分ではなく、そしてそれに付随したデータ活用の仕組みが整っていませんでした。それによりマスクあるいは給付金を「どう配るのか」で悩み、混乱が生まれてしまった側面があります。

たとえばマスクの在庫を国が管理できる体制が整っていれば、ハイリスク者やエッセンシャルワーカーに優先的に提供し、かつ、一般家庭への定期的な配布を実施できていたかもしれません。当然、買い占め騒動なども抑止できるでしょう。

また、マイナンバーで社会保障と税（所得情報）が紐《ひも》づけられたデータが整備されていれば、給付金の配布方法も異なっていたでしょう。一律に10万円を配るのではなく、所得や今後の経済的な打撃の見通し等に応じて、給付金額を個別に調整し、必要な人に必要な分だけ給付できたはずです。その場合、前章でＬＩＮＥ×厚生労働省の全国調査の部分で書いた通り、思い込みや色眼鏡によらず、本当に苦しんでいる人、痛みを感じている人を明確にして、その人たちに集中した支援も可能となります。

データは国や組織側からの視点だけではなく、私たち一人ひとりの視点でも大きなメリットがあります。震災のときなどが顕著でしたが、人々が自粛生活に入る前後に、慌ててトイレットペーパーを買いに走る光景が見られました。しかし在庫データを明確にして提供できれば、こうした事態は防げるはずです。こうした行動の原理は、「不安」にあるので、その不安をデータが取り除いてくれるからです。

問題点ばかり指摘してしまいましたが、よかった事例についても触れたいと思います。緊急事態宣言下の自粛期間中、重症者が入院できる病床数がいくつ残っているかがデータで公表されていました。あるいは各都道府県が、人工呼吸の管理ができるＩＣＵ（特定集中治療室）などのベッド数をどれだけ確保できているかを一覧にしてまとめた表なども、連日報道されていました。その数字を見て、「これだけしかないのか。これはマスクをしたり、外出を控えたり、もっと気をつけて行動しないとな」と自覚した人は多いのではないでしょうか。

このようにデータは時に言葉よりも説得力を持ちます。「公共財の数字は、どんな政治家のコメントよりも雄弁だ」と話していた人もいます。新型コロナウイルスが到来した世界で、データに基づく判断の重要性を改めて認識した人も多いのではないでしょうか。

今後コロナと向き合ううえではデータ活用が不可欠

ここまで新型コロナウイルスの影響であらわになったデータ・ガバナンスの格差を見てきましたが、これから先、データ活用なしに新型コロナウイルス対策を進めることは困難です。その理由の1つは、新型コロナウイルス感染症の症状が多様である点です。ほぼ無症状の人が一定数いる一方で、急速に病状が悪化して死に至る人もいる。このことが対策を難しくしています。

無症状の人が一定数いるということは、自分が感染していることに気づかないまま、市中に繰り出す人が出てくるということです。そうした人たちは、自覚なくウイルスを市中にまき散らしてしまうのです。そこで拡散されたウイルスに感染して亡くなった人が出たとしても、どういう経路でそのウイルスがもたらされたのかを捕捉することは難しい。

さらに問題は新型コロナウイルスだけの話にとどまりません。コロナによる重症患者が急激に増えれば、その地域のＩＣＵや人工呼吸器といった、数の限られた医療設備や装置を圧迫します。それによって医療需要が供給を超えてしまうと病院がショートし、医療システムそのものが機能不全に陥ります。事実、ニューヨークやイタリア、スペインなどでこの事態は現実となってしまいました。

さらに皆さんもご存じの通り、ロックダウンをはじめとする外出制限は、経済活動に多大な影響を与えます。アメリカの場合、非常事態宣言が出された２０２０年３月中旬からの３週間で、新規に失業保険を申請した人が１７００万人に上り、失業者は一時期４２００万人以上になりました。これは、リーマン・ショック後を上回る影響であり、決して見過ごすことはできません。

もちろんワクチンの効果は多いに期待できますが、現時点ではワクチンだけで押さえ込むことは困難です。当面は、予防対策や経路追跡による感染実態の把握、検疫によるウイルスのコントロールなど、さまざまなアプローチを組み合わせていく必要があります。ここからの事態を乗り越えていくには、「データ」を駆使して状況を把握し、最善の対策を考え続けていくしかないのです。

たとえば中国は、感染者の接触追跡のプログラムを導入しています。これは携帯やスマホのＧＰＳ（全地球測位システム）を使って、個人の行動を追跡するものです。陽性者が出た場合、その端末のログを追跡して、感染のリスクがある人に「あなたと同じ電車に乗っていた人に陽性の判定が出ました。濃厚接触のリスクがあります」とスマホに通知。時に隔離を徹底します。

感染者をピンポイントで捕捉できるこの方法は、窮余の一策として実に優秀です。ただし、情報を統制したうえで個人の行動に制限をかける点で、個人のプライバシーを踏み越えた対策です。これを民主国家で実施することには、とてつもなく高いハードルがあります。特に中国の場合、個人情報の収集は当局が一括して行い、誰が感染したのかという情報は公開されません。つまり、個人のプライバシーを政府が大きく制限しているという状況です。

民主国家として個人のプライバシーに踏み込んだ対策を行っているのが韓国です。韓国の場合は、リスク喚起のために感染者の個人が特定可能な情報を公表する場合もあり、相互監視のある種「村社会的なコントロール」によって防疫を遂行する点が特徴的です。たとえば、あるナイトクラブでクラスター感染が起きた場合、「○○さんは、このナイトクラブに出入りして感染しました」という情報が特定されて拡散されてしまう。こうした同調圧力も踏まえて感染対策が行われていると言えます。

さらに、韓国はGPSとクレジットカードの決済情報、防犯カメラの映像、車や携帯電話のナビのデータまで連動させて、個人の行動を徹底的に追跡する仕組みを有しています。この背景には、かつて韓国がSARS等で非常に苦い思いをしたことから、個人情報を統制する法律を整備したことがあります。日本と比較すると、かなり強権的な対応に思えますが、これが現時点における韓国の「民主主義的な選択」になるのだと思います。

いずれにせよ、コロナ対策にデータが必要とされる中で、プライバシーにどこまで踏み込むか。各国が頭を捻《ひね》りながら悩んでいる理由は、まさにここにあります。

コロナと向き合いながら「民主主義の輪郭」をどう守るか

韓国の例を見てもわかる通り、民主国家では、コロナ対策とプライバシー権のバランスをどうとるかが大きな課題になっています。「技術的に可能だからＯＫ」という単純な問題ではないのです。

そのような中で、もう１つ注目すべき民主国家が台湾です。台湾では、民主国家としては踏み込んだ対策を行ってきました。政府は「電子フェンス」と呼ばれる位置情報システムを使い、個人の居場所などをチェックする体制をとりました。海外からの帰国者など、隔離対象者への対策も、かなり厳しく行ってきました。こうした踏み込んだ対策は国民から大きく非難されても不思議ではないものでした。

ところが、大多数の国民は、その対策を受け入れていました。他のアジア諸国と同様、ＳＡＲＳの失敗を繰り返したくないという国民感情もあったと思いますが、それ以上に大きかったのは、政府がしっかりと国民に説明し、信頼を獲得していた点です。台湾政府は、公衆衛生をメインゴールに置きながらも、行政が個人情報を管理するうえでの透明性を担保するため、国民に対する説明責任を果たすことにかなりの熱量を使っています。

一方で、さまざまなアプローチを工夫しながら対策を進めている国としては、シンガポールが挙げられます。シンガポールは当初、Bluetooth の接触履歴で感染経路を追跡する「接触通知アプリ」を使ったコロナ対策を進めました。これは、スマホの Bluetooth 機能を活用して人と人との「すれ違い」の記録を蓄積することで、可能な限りプライバシーに配慮しながら感染を防ごうというものです。

その仕組みはこうです。お互いが誰といつ接触したかという履歴を、匿名のＩＤとして個々の端末に残しておきます。もし、ある人が陽性と判定された場合、その本人の同意に基づいて、接触者のそれぞれに「あなたは感染者と濃厚接触しています」という情報が送られます（誰が感染者かまでは伝えられない）。

この Bluetooth 機能を活用したコロナ対策は、「バランスのとれた、ベターな解決法になるのでは」という期待感も見られました。ところが蓋を開けてみれば、さまざまな問題が見えてきました。まず最初の壁として、「アプリがダウンロードされない」という問題がありました。大統領自らが接触履歴を追跡するアプリのダウンロードを促したにもかかわらず、その数は全人口の2割台と低迷（2020年5月時点）。プライバシーを扱うアプリなので一人ひとりの同意が必要であり、その結果、効果的な運用が難しいという状況に陥ってしまいました。

シンガポール政府は結局、路線変更を余儀なくされました。まず、電話番号や身分証番号を登録した、デジタルの「入館証」の発行を国民に義務化しました。いずれはこれを発展させて、持ち歩きできる電子デバイスを国民全員に配り、登録データと連動させ、「いつ誰がどの建物に出入りしたか」といったデータを政府のサーバーに集める体制に移行すると発表しています。感染拡大を封じ込めるために徹底追跡する、どちらかと言えば監視型への路線変更だと言えるでしょう。

ちなみにこの Bluetooth 機能を活用した接触通知アプリは、その可能性が今も模索されている最中です。2020年5月に、グーグルとアップルが Android とｉＯＳ端末間で相互運用を実現したＡＰＩ（Application Programming Interface）をリリースしたことで、各国の政府や保健機関がそれぞれに開発しているアプリと接続ができるようになっています。グーグルとアップルの競合2社が手を組んだのは異例の事態。それだけこのコロナウイルスに危機感を抱いている表れでもあります。

このグーグル・アップル連合のプラットフォームは、政府や当局にデータを渡すことなく、個人が情報を保持するというスタイルでつくられています。プライバシーへの配慮が徹底していて、一見すれば合理的でフェアな方法です。けれども、各国の受け取り方は、異なっています。

ドイツは、「人権に最大限に配慮しながら感染症対策をするという、まさに我々の求める規格に即している」と、ポジティブな反応でした。しかしフランスは、このプラットフォームには乗らない方針を立てました。フランスは、強力なロックダウンを行って、経済的に大きな打撃を受けたにもかかわらず、「プライバシーにまで踏み込むテクノロジーは使わない」と、このプラットフォームの使用を許可しなかったのです。

そんなフランスも、国内で任意に開発されたアプリについては、「使いたい人が使えばいい」と容認しています。フランスの場合、そもそもテックジャイアントの方針に従うことを避けたかったという背景もあるかもしれません。

日本の民主主義をアップデートできるか

ここまで各国のコロナ対策、およびプライバシーとのバランスをどうとってきたかについて見てきましたが、日本はどのようなアプローチをとってきたのでしょうか。結論から言えば、日本はドイツと同じやり方を採用しました。つまり、可能な限りプライバシーに配慮しながらも、感染症対策を行うというスタンスです。Bluetoothを活用した接触確認アプリ「COCOA」の提供は2020年6月に始まっています。

しかし、先ほどのシンガポールの事例と同様に、このやり方にもさまざまな課題がありました。感染の経路を追う取り組みには、規模が必要です。プライバシー保護のためにユーザーの同意を得るステップからの離脱者も多く、普及の点では課題がありました。

だからと言って中国のように、トップダウンでのデータの一元管理を強力に推し進めれば、一歩誤るとデジタル監視社会へと突入する可能性もあります。したがってその両者のバランスをとる――たとえば、公的な目的に限定して情報を使用可能にする、情報の活用履歴を検証可能にする、といったやり方を考える必要があります。

これまで見てきたように、コロナ対策を考えることは、民主主義を捉え直すことにほかなりません。世界の国々は、新型コロナウイルスの脅威に直面する中で、「どのような社会を実現するべきか?」という問いの中で、各国の民主主義そして社会システムのアップデートを行っています。

したがって、コロナと向き合うという短期的な観点からも、「日本がこれからどのような社会を目指すべきなのか?」「どのように民主主義を考えていくべきなのか?」という問いを立てていくことは重要なのです。

日本の民主主義は太平洋戦争前、民主主義獲得のプロセスが一度分断され、その後の戦後の米軍の占領下で受け身で導入が進められた背景があります。こうした「いつの間にか与えられた社会契約」の下にある日本の戦後民主主義には「台風や地震以外の有事の対応を考える」という習慣がありませんでした。
だから、今回のコロナ対応のような、命と経済のせめぎあいにどう対応するか、自由とプライバシーのバランスをどうとるかといった、ギリギリのところでの判断をする準備ができていなかった。そのツケが今、一気に回ってきたように思うのです。

そもそも公衆衛生とは、「人々を守る」という観点から、医療や政策の対象を「集団」として捉え、集団の命を守るという概念です。したがって、時に私権を制限するアプローチを採ることもあります。集団の命に配慮するという視点では、軍事と近い部分があるという指摘もあり、理論だけでは不十分で、実践されなければ意味がありません。

何を安全と考えるか。私権への踏み込みはどこまで許容できるのか。それは本来、コロナ前から議論しておかなければならなかったテーマのはずです。平時から、民主主義の形はどうあるべきかを常に具体的な形で捉えておけば、コロナへの対応もよりスムーズに成されたはずです。これはデータ共鳴社会への移行においても重要な、これから日本や世界が向き合うべき問いであると言えるでしょう。

新型コロナの拡大前にGDPRが施行されていた意義

ここまでコンタクトトレーシングをめぐる各国の動きを追ってきましたが、このテクノロジーを活用するうえで、私たちは新しい課題に直面しています。つまり、「公共のために利用する必要性が高い場合に、個人は自分のデータを差し出すか否か。そして差し出すなら、どのような形で、どこまでなら認めるか」。この「私権の制限」のラインをどこに引くか。これを考えることなしには語れません。

実は国際社会においては、この新しい課題に向き合ううえで、強力な「助っ人」が存在していました。それが第1章でも触れた「一般データ保護規則（General Data Protection Regulation：GDPR）」です。

GDPRの条文は、あらゆる市民が国や企業に個人のデータを提供した場合に、それをどう保護していくかという視点で貫かれ、個人情報保護の強化が謳われています。その中核として次の3つの権利――①「データにアクセスする権利（Right of access）」、②「データポータビリティ権利（Right to data portability）」、③「データを削除する権利、忘れられる権利（Right to erasure, Right to be forgotten）」を明記しています。これらは、デジタル社会時代における新しい人権と言ってもいい内容です。

ＧＤＰＲはビッグデータの利活用に一定の制約を設け、違反があれば制裁金を科すなどのルールを明記しました。ただ、それは単に罰則規定を制定したというだけにとどまりません。データを扱う際には、それをどう使うか、何のために使うかといった説明責任を果たすように国家や企業に「睨《にら》みをきかせた」、その点が画期的なのです。

ＧＤＰＲはもともと、個人情報保護の意識を高めていたドイツなどがリードしながら策定した「ＥＵデータ保護指令」（１９９５年採択）をもとにしています。インターネットがあまり普及していない時代から、個人情報の権利について、ルールを定めていたわけです。先ほども触れたように、ドイツは「情報の自己決定権」を憲法に明記しています。その流れがＧＤＰＲには反映されていると言えます。

ただその後、ＧＤＰＲは、ＧＡＦＡをはじめとする「テックジャイアント対策」の色合いも強まりました。ビッグデータを取得した企業が、その利益追求のためにデータを活用する中で、利用者や公共の利益を阻害する可能性が出てくるからです。たとえば、アルコール依存症に悩む人のネット広告欄に、アルコール飲料の広告が出てくるなんてことは、避けるべき事態のはずです。

こうした巨大プラットフォーマーの「データ覇権主義」への疑義が強まった出来事があります。２０１８年初春に発覚した「ケンブリッジ・アナリティカ事件」です。これは、イギリスのデータ分析会社、ケンブリッジ・アナリティカ社が、最大８７００万人分の個人情報を不正に取得し、ブレグジット（イギリスのＥＵ離脱）を問うイギリスの国民投票や、２０１６年のアメリカ大統領選挙でドナルド・トランプを支持する政治広告に利用していた事件です。

この個人情報の流用元だったのが、フェイスブックでした。ケンブリッジ・アナリティカ社は、フェイスブックを通して、フェイクニュースや歪められた内容の政治広告を送りつけていたのです。フェイスブックを揺るがす巨大なスキャンダルにまで発展したこの事件は、現代におけるデータの取り扱いの在り方を人々に考えさせるのに十分でした。

奇しくも、この事件が起きた時期が、ＧＤＰＲのスタートラインと重なったのです。Ｇ

DPRの施行は事件発覚直後、2018年5月でした。これ以降、プライバシー保護意識の低い企業への批判は、強まっていきました。

2020年のコロナ禍の前に、GDPRが施行されていたことには、大きな意味がありました。もしGDPRがないまま新型コロナのパンデミックに突入していたら、個人のデータアクセス権やプライバシーへの配慮はなされなかったでしょう。

コロナ対策も、「GPSによる徹底監視か、長期間のロックダウンか」の二択に極端化していた可能性もあります。少なくとも、テックジャイアントたちが技術協力して、個人情報が特定されない形で接触状況を把握・通知できるアプリが開発されることもなかったことでしょう。そういう意味でコンタクトトレーシングは、まさに「GDPRの産物」と言えます。

またグーグルは、コロナ禍での人々の移動に関するデータを公表しています。私たちの研究チームもグーグルに協力を仰ぎ、厚生労働省と連携しながら「自粛の穴」を見つける分析を行いました。このように経路追跡に限らず、テックジャイアント側もデータを独占せず、公開・共有しています。これらは、コロナ禍ではじめて実現した「民主主義的に開かれた公共」の新たな在り方だと私は感じています。

グーグルやアップルが開発したコンタクトトレーシングでは、位置情報を個人の端末に保存する形で情報を記録、共有していますが、これらの情報は匿名化されています。さらに、知らない間に誰かが「私の情報」に勝手にアクセスしてくるわけではなく、「必要なときに、私が判断して提供する」という原理でつくられています。

このように、テックジャイアントが持つ位置情報のビッグデータを活用しながら、「忘れられる権利」等にも同時に配慮するという方向性が生まれたのは、「GDPR」という下地があったからなのです。企業体が個人情報をとることなしに、「公衆の利益のために」データを活用する世界がようやくやってきました。

経済合理性至上主義でデータを扱うことの危うさ

データの共有が進む中で、「トラスト（trust：信頼、信用）」の価値を見直す動きが高まっています。先に述べた通り、データは使ってもなくなりませんが、信頼を失えばその価値を一気に失います。

先述したケンブリッジ・アナリティカ事件がよい例です。今後も「経済合理性至上主義」に染まりすぎると、社会からの信頼を失い、それに伴い大きな利益を失うことになるでしょう。データが価値を生み出す社会においては、信頼への配慮はこれまで以上に大きくなります。

特にここ数年、GDPRの施行からその流れはより加速しました。コロナ禍でも、ブラック・ライブズ・マター運動の広がりに伴い、フェイスブックが人権に配慮した対応を怠ったとして、企業が広告の出稿を次々に停止したという事態がありました。データを駆使して大きな利益を得る企業体は、社会と緊張関係を保ちながら、対話を続けていかなければならない、それくらいシビアな時代なのです。

ここまでは、企業などがデータの信頼を失うことでその社会的立場を失う事例を述べてきましたが、逆にデータによってトラストを得ることで「共有価値」が生み出され、その価値観に沿った政策やサービスが生まれる可能性もあります。私自身も、データによる

「共有価値」の創出が、医療改革につながるといった得難い経験をしました。ここではその経験を通じて、データ共鳴社会の希望について述べたいと思います。

私は慶應義塾大学の医学部に在籍しながら、臨床現場と連携して膨大な手術症例を分析するデータベース「NCD（National Clinical Database）」の開発、運営に携わっています。それぞれの医療現場で得られた手術症例のデータを臨床現場へとフィードバックし、医療の質を底上げすることが目的です。

2010年に始まったこの取り組みに私は企画段階から関わっているのですが、感慨深いのは、このデータベースが日本の医療施設の外科症例のほぼ全例を網羅するまでに成長したことです。今では世界最大級の治療成績データベースに発展しました。

さらに、このNCDにおける研究の成果は、日本の政策にも継続的に反映されています。いちばんわかりやすい事例は、「医療資源の利用の現状」を調べた研究です。

この発端となったのは、日本の医療施設とアメリカの大規模医療施設のデータの比較でした。STS（アメリカ胸部外科学会）やACS－NSQIP（アメリカ外科学会の手術の質改善プログラム）などと連携して、「治療成績（死亡率）」「術後在院日数」の日米比較評価を行いました。

まず「治療成績（死亡率）」について。指標となる「術後30日以内の死亡率」については、「膵臓《すいぞう》低位前方切除」や「右半結腸切除」の手術で、日本はアメリカの半分以下の数字でした。「膵頭十二指腸切除」においても、それに近い結果が得られました。ここだけ見れば、日本はアメリカに比べても優れているように思えます。ただし、「術後30日以降も含む在院死亡率」で見ると、日本の数字はこの2倍ほどになり、アメリカに比べて優れているとは言えなくなります。

一方、「術後在院日数」については、どの手術も日本のほうがアメリカの約3倍も長いという結果が出ました。ここから示唆されるのは、日本は手術直後の治療成績は比較的よいのに、術後在院日数が長いことで、治療成績が下がっているのではないか、ということです。

もちろん単純にそう言い切れるわけではありません。アメリカの在院日数が日本より短くなるのは、保険会社からのプレッシャーが強いからです。結果として、再発・再入院率も高くなる傾向にあります。

反対に日本は、民間保険会社が入院費用をカバーするなど、患者にとって早期退院する必要がない場合が多い。病院側もベッドが埋まれば経営的にはプラスになるため、あまり退院を急《せ》かしません。しかしこの構造によって、患者にとってのリハビリの機会が先延ばしになったり、失われたりします。できるだけ速やかに日常生活に戻ることができれば、その後の回復もより確実なものになります。

さらに入院期間の長期化は、患者個人だけではなく医療全体の視点から見ても問題です。これから日本はますます少子高齢化が進み、医療資源が足りなくなる恐れがあります。持続可能な医療提供体制を整えるためにも、本当に日本の入院期間は現状のままで適切なのか、検証する必要があることがわかったのです。

日本の医療における「最適な在院日数」は何日なのか。この疑問に答えを出すべく、全国の1000以上の施設から収集された入院患者のデータを集めた国の大規模医療データベース「DPC（Diagnosis Procedure Combination：診断群分類）」のデータと組み合わせて、「理想的な術後入院日数（医療の質という観点から）」「入院日数と医療費への影響」について検討しました。ＤＰＣは診療報酬の包括支払制度とリンクされているため、施設別の収支の改善幅を検討することが可能だったからです。

こうした検証と各方面の専門家との議論を重ね、いくつかのデータ分析を行ったところ、「理想的な術後入院日数」は、アメリカと日本の中間辺りが最善になることがわかってきました。つまり、現状よりも在院日数を短くすることが、治療成績の改善につながるということです。そして、これは全体的な医療費の削減にもつながることがわかったのです。

こうなれば、患者も病院も国も、まさに「三方よし」の関係です。私はこれらの成果を２０１５年に行われた厚生労働省の「保険医療２０３５」の検討の場において発表し、その結果、国全体でビッグデータを積極的に活用しながら「データヘルス」の在り方を見直す動きにつながっていきました。

今回の例では、各種データを通じて「入院日数はもっと短くあるべきだ」という、これまでの社会にはなかった「共有価値」が生まれ、それが政策へと結びつきました。なぜこんなにもスムーズに社会に浸透したかと言うと、データに対する「トラスト」があったからです。これはデータ共鳴社会でなければ、たどり着けなかったかもしれません。だからこそ、一定のルールの下、データをどのように共有して価値を生んでいくのかを考えることは重要だと考えています。

どうしても、データと言うと「監視社会」とか「AIに支配される」といったネガティブな側面が想起されがちです。しかし、データを「人間」や「命」に関わる分野で活用した場合にも、こうしたポジティブな価値が生まれることを、知っていただければと思います。

コロナ以降の時代のリーダーシップ

新型コロナウイルスが世界に到来してから、私は毎朝、世界のトップニュースを欠かさず見るようになりました。こんなにもリアルタイムに世界の動きをウォッチする必要性が高まったことは、久しくなかったと思います。

そんな激動の世界で、ブラック・ライブズ・マター運動は、今こそ人々が人権を見つめ直し、格差と分断を解消する必要性を国境を越えて示しました。あるいは、2020年6月の地方選でフランス与党が大敗し、「緑の党」が歴史的勝利を収めたことも、「環境を優先しない政府は認めない」というフランス国民の意思表示だと感じました。

経済だけではなく、命、健康、人権、環境と、さまざまな軸の舵取りをしながら社会を回していかなければならない、それが新型コロナウイルスが到来した後の世界の在り方なのだと実感しています。

この間、私が改めて認識したことが2つあります。1つは、やはり世界は「トラスト」の価値観で動き出しているということ。もう1つは、民主主義のリーダーシップにも、「トラスト」の価値観が大きな影響を与えているということです。

コロナが到来した以降の社会では、「日々の選択」が、国家の明日の命運を左右するような局面があまりにも多い。だからこそ自分たちのリーダーが、どのような価値観に基づいた発言をしているかを、国民はもちろん、世界中の人たちが見ています。

国民それぞれが抱く多様な価値観に配慮した発言を積み重ねているリーダーは、緊急事態においても市民がついてきます。逆に、人気取りばかりを気にした表面的なコミュニケーションをしているリーダーには、今後は誰もついてこなくなるでしょう。

そもそも、政治や行政のリーダーは市民の「トラスト」を失った瞬間に、権力を行使できなくなるもの。これは自明の理ですが、データ・ガバナンスの重要性が増している現代では、市民の側も国に対する「トラスト」を強く意識するため、その象徴であるリーダーの「トラスト」についても、注目が集まっています。

ウィズコロナを生きる私たちに向けたリーダーたちのメッセージで、特に私の心に刺さったのは、ドイツのアンゲラ・メルケル首相の2つの演説です。

まず1つ目は、2020年3月18日のテレビ演説。私が感銘を受けたのは、理路整然と語りながらも「心を尽くして伝えよう」とする態度です。


本日は、現下の状況における首相としての、また政府全体としての基本的考えをお伝えするため、このように通常とは異なる形で皆さんにお話をすることになりました。開かれた民主主義のもとでは、政治において下される決定の透明性を確保し、説明を尽くすことが必要です。私たちの取組について、できるだけ説得力ある形でその根拠を説明し、発信し、理解してもらえるようにするのです（中略）。

これは、単なる抽象的な統計数値で済む話ではありません。ある人の父親であったり、祖父、母親、祖母、あるいはパートナーであったりする、実際の人間が関わってくる話なのです。そして私たちの社会は、一つひとつの命、一人ひとりの人間が重みを持つ共同体なのです（中略）。日常生活における制約が、今すでにいかに厳しいものであるかは私も承知しています（中略）。

次の点はしかしぜひお伝えしたい。こうした制約は、渡航や移動の自由が苦難の末に勝ち取られた権利であるという経験をしてきた私のような人間にとり、絶対的な必要性がなければ正当化し得ないものなのです。民主主義においては、決して安易に決めてはならず、決めるのであればあくまでも一時的なものにとどめるべきです。しかし今は、命を救うためには避けられないことなのです（中略）。

我が国は民主主義国家です。私たちの活力の源は強制ではなく、知識の共有と参加です。現在直面しているのは、まさに歴史的課題であり、結束してはじめて乗り越えていけるのです。

（出所：ドイツ連邦共和国大使館・総領事館ＨＰ「新型コロナウイルス感染症対策に関する

メルケル首相のテレビ演説（２０２０年３月18日）

メルケルは、「私たちの社会は、一つひとつの命、一人ひとりの人間が重みを持つ共同体」だと真っ直ぐに伝えたうえで、今は日常生活において制約をかけざるをえない状況であり、その根拠をできるだけ説得力のある形で説明しようとしています。

さらに、「私たちの活力の源は強制ではなく、知識の共有と参加です」とはっきり言っています。民主主義、そしてデータ共鳴社会の本質が共有と参加であり、市民自らが能動的に社会に関わり、知恵を分かち合うことで「自分自身が社会をよりよくしている」という実感が得られる、そんな社会を理想としていることが伝わります。一人ひとりの「生きる」の響き合いで社会が回っていくというイメージを、しっかりつかんだうえでの発言なのでしょう。

彼女は旧東ドイツの出身であり、「自由が苦難の末に勝ち取られた権利であるという経験をしてきた」という言葉にも重みがあります。このコロナ禍の局面で「民主主義のバージョンアップ」をイメージできる視座の高さも、そうした苦難を乗り越えてきた経験の賜物なのだと思います。

そして２つ目の演説は、２０２０年４月15日のテレビ演説です。これは、ロックダウンの緩和にあたり、今後一人ひとりの行動がいかに大切になるかを示すために行われたもので、歴史に残る名演説でした。国民が置かれた状態を「具体的な根拠をもとに」共有し、目的意識を高めるコミュニケーションがなされていました。まさしく、コロナ時代の模範のリーダーと言えるような発言が、随所に見られました。

（実効再生産数の）カーブが平坦になりました。私たちの健康システムに過大な負担をかけないように、カーブをフラットにする必要があります。

また、モデル観測によりますと今の再生産数（R０）は１の段階なので、ある人によって感染となるのは、「一人」のみです。

１つの感染経路で一人が別の人を感染させる話で、これはある人が別の人に感染する平均値です。感染する人が１・１人になれば10月までに集中治療室の数を想定した保健システムの容量レベルに達します（医療崩壊になります）。

１・２人になれば、すなわち全員が20％多く感染しますと７月には医療システムの限界に達します。1・3人になると6月には医療システムの限界に達します。
（出所：Sangmin Ahn「ドイツのメルケル首相が語る感染率のリスクと抑制の必要性」）

この演説では、収束状況の指標となる「実効再生産数」という、一般にはとっつきにくい概念を、非常にわかりやすく説明しています。もともとメルケルは博士の学位を持つ物理学者。この彼女ならではの演説からは、「科学に基づくコロナ対策」を着実に打ち出すのだという矜持《きようじ》を感じます。淡々とした言葉の中に、「一人ひとりの行動が社会そのものの未来を決めるんだ」という強いメッセージが込められていました。

またコロナ禍においては、市民に対して負担を強いる有事だからこそ、リーダーは市民に対する「リスペクト」を表明することも大事です。台湾では、蔡英文も行政首脳も、「私たちは国民を信頼しています」と繰り返し伝えていました。

それだけでなく、「国民の意見もしっかり聞いている」というメッセージも欠かさず伝えていました。ある子どもから、「ピンクのマスクなんて恥ずかしくて嫌だ」という投書が届いた翌日、台湾の行政のトップ全員がピンクのマスクで記者会見に登場しました。

「こういうマスクもいいでしょう?」と温かみのある言葉で話していたシーンは、鮮やかに私の記憶に残りました。

メルケルや蔡英文らは、根拠に基づいた情報を明快な言葉で発信しながら、国民とつながろうとする態度で対話を重ねています。今こそ、民主国家すべてにおいて「Evidence Based Policy Making（根拠に基づく政策立案）」が求められています。これを実践できている国は、やはり、感染対策だけでなく、新しい時代の民主主義をつくりあげることができるでしょう。

第3章 データ・シフトで変わる産業の形

「きれいごと」が重要になる世界の到来

本章では、データ共鳴社会における変容——主に世界の金融・医療分野を軸としたビッグデータの可能性と、私たちがつくりうる未来について、具体例を挙げて見ていきます。

前章でも見た通り、データ共鳴社会においてデータを扱う企業や組織は、社会に対する説明責任を果たして、「トラスト（信頼）」を獲得する必要があります。そのような説明責任につながる流れをつくったのが、GDPRでした。

データ社会の初期段階では、データを独占し、富を独占するというGAFA型のモデルが勝ちパターンとなりました。ところが、GDPR施行後は、データアクセス権などの権利に応じる中で、一度データを取得した後にデータを使い放題というビジネスモデルは成立しづらくなってきました。企業は人々に、そのデータがどのように使われたのかの説明責任を果たし続ける必要があります。これにより、トラストのあるデータ活用を示し続ける必要があります。

さらに、提供者側もそうした仕組みを理解し、「なぜ自分のデータを提供しなければならないのか」という視点を持つようになりました。そうすると企業側は、「あなたのデータを提供することには、こんな価値がある」と、情報を提供する価値を明確に示し、提供者に納得してもらう必要が出てきました。これまで以上に「企業の説明責任」が重視されるのは、こうした流れが背景にあります。「株主至上主義で短期利益を追い求めて、売上さえ上げればいい」というスタイルの企業は、データを活用するための信頼が得られない、そんな社会になったのです。

その結果、GDPRの施行後は、企業による「善行（social good）」への貢献が目に見えるようになりました。なぜなら社会が、「善行を積まなければお金が儲からないフェーズに入った」からです。本来、企業というのは経済活動を通して社会に何らかの価値を提供する組織であり、さまざまな社会課題を解決していく機能を有しています。お金は組織を持続するための条件の1つだったはずです。

ところが昨今までは、株主のために利益を上げないといけないというプレッシャーが高まり、短期的な利益を追求する流れに多くの企業、経営者がなびいていました。

そんな行きすぎた利益至上主義のバランスをとるため、形ばかりの寄付や社員ボランティア、社会への説明責任としての環境・社会・ガバナンスに配慮したESGの取り組みなどが、さまざまな形で進められてきました。ですがこれらの施策は、「阿漕《あこぎ》な商売の罪滅ぼし」的な側面も否めませんでした。

しかし、データ共鳴社会においては、「片一方で強欲に儲けても、もう片方で『善行』もアピールしておけば、プラマイゼロになるだろう」というような考えの企業は生き残れません。なぜなら、その企業のほかに「企業全体で『善行』に取り組んでいる企業」があったとき、信頼面で勝てないからです。信頼の差はデータの量、質の差を生み、その差はやがて必ず、貨幣価値的な側面にも表れていきます。

ここまで見てきたように、あのGAFAですら危機感を抱き、「ユーザーからの信頼を得続けないと、次のデータ活用型のビジネスはできない」と意識を改めています。これまでCSR（Corporate Social Responsibility：企業の社会的責任）の話が出るたび、「CSRなんて、皆、しょせん上辺だけで取り組んでいるんでしょう?」という批判が散見されましたが、それが今は飾りではなく、「企業の生命線につながる大事なマター」になったわけです。

さらに、企業が社会に対して説明責任を果たし、信用を得なければいけない背景としては、「デジタル通貨」の問題があります。これは、そもそも貨幣価値そのものがデータによって支えられる経済システムに変容しつつあり、国家も企業もデータと無関係ではいられないからです。デジタル通貨と言えば、フェイスブックが計画する「リブラ」などが注目を集めていました。しかし、リブラについては「世界の基軸通貨であるドルの立場を脅かしかねない」とアメリカ政府から「待った」がかかって、困難に直面しています。

代わって最近、主役の座に躍り出てきたのが、世界の中央銀行が開発を進めている、中央銀行デジタル通貨「ＣＢＤＣ（Central Bank Digital Currency）」です。さらにスウェーデンは「ｅ－クローナ（e-Krona）」、中国は「デジタル人民元」など、国家が発行するデジタル通貨もテストが始まっています。早晩、日本もアメリカも、国を挙げてデジタル通貨に取り組まざるをえなくなるでしょう。

デジタル通貨の場合、「通貨の価値」自体のものさしも変わってきます。従来、通貨の価値は、国家の経済力や政治力といった「通貨発行国の信用」を反映したものでした。突き詰めれば、ある種、国家の「公権力」を背景にしていると考えるべきでしょう。アメリカという国家のファイナンス力の源泉には、その強大な軍事力が反映されています。そこまで踏まえたうえで、ドルが基軸の通貨になっているわけです。

しかし、デジタル通貨の場合、「パーソナルデータが生み出す信用」が反映されます。「はじめに」、そして本章でも触れる中国のアント・フィナンシャル（螞蟻金融）の「芝麻信用（ジーマクレジット）」の例からもわかるように、パーソナルデータは既存の仕組みではなしえなかった、新たな価値を生み出します。

これは言ってみれば、運用元である国家や企業が持つデータの質が、そのままデジタル貨幣の運用力や価値を決めることになります。「貨幣から、パーソナルデータへ」という価値転換は、グローバル経済の本流を揺るがすような大きな変革だと言えるでしょう。

個人の視点から見ても、どのデジタル通貨を使うかは大きな問題です。なぜなら、パーソナルデータをきちんと運用できないような国家や企業が発行するデジタル通貨は、その信用が失われたとき、一瞬で暴落する可能性があるからです。だから利用者の側も、自分のデータを提供することで自分たちの生活や将来が明るくなるようなメリットはあるか、あるいは不正に使用されないかどうかなどを確かめるようになります。だからこそ、運営元の国家や企業は、今まで以上に信頼を獲得する必要が出てきます。

GAFAの変容

ここまで「GAFAが本気で意識を変え始めている」と書きましたが、その変貌ぶりについても、ここで触れたいと思います。GAFAは当初、最初にスナップショット式にユーザーの同意をとって、「すべてのデータは自分たちのものであるかのように使う」やり方で、データを独占することで大きな富を得ていました。

同様に中国では、「百度（Baidu）」「アリババ（Alibaba）」「テンセント（Tencent）」の3社、いわゆる中国のIT御三家「BAT」が巨大な富を生んでいきました（近年はBaiduではなく、ByteDance〔バイトダンス〕とする場合もあります）。とにかく、これがデータ社会へ移行したばかりの第一フェーズでの勝ちパターンでした。

それが、ＧＤＰＲによる規制やケンブリッジ・アナリティカ事件を経て、「ユーザーの信頼を得ないと、データを使わせてもらえない」ことを多くの企業が認識し始めています。「ソーシャルグッド」が前提になることを認識した彼らは、「データは、社会にとってよいことのために使われるべきだ」と主張し始めています。

近年、グーグルは「AI for Social Good」という標語を掲げていますし、フェイスブックも「Data for Good」と企業のデータ運営における信頼性をアピールしています。驚いたのは、アップルです。アップルは、「私たちは物を売る企業をやめます。今後はヘルスケアの企業になります」と、企業の方向性をガラリと変えるとまで発言しているのです。事実、健康への貢献がアップルのいちばん大きな価値だという発信が増えてきました。さらにアマゾンも、いわゆる公共サービスに対する貢献を大事にしていくと表明しています。

ただし、単にアピールするだけではだめだという厳しさも世間は突きつけました。たとえばジョージ・フロイド氏の死が発端となった「ブラック・ライブズ・マター」の中で、フェイスブックやインスタグラムなど、ソーシャルメディアのプラットフォーマーは、公民権団体から「Stop Hate for Profit（利益のためのヘイトをやめろ）」と対応を求められましたが、これといった対応をしなかったことで、世間の厳しい目が注がれました。それを機に、ユニリーバ、コカ・コーラなどの企業が広告を引き揚げるなど、得意先としていた企業からも離反を受けたわけです。

これとは反対に、スターバックスは、従業員にブラック・ライブズ・マターを支持する服装を禁じて騒ぎになるや、一転して服装の着用は認め、その後はコカ・コーラなどの動きに追随する形でソーシャルメディアからの広告を引き揚げる措置をとりました。その時々に人々が何を考えどう感じているかをスターバックスは敏感に汲み取って、大企業としてどうあるべきかを考え、社会に真正面から向き合う姿勢を明確に示しました。

繰り返しますが、これからはどんな企業であっても、ソーシャルグッドのような共有価値への貢献を示さないと、データを活用してビジネスを行う信頼が得られ難くなります。変な言い方ですが、個人が「社会をよくしたい」という志から出発して自発的に行動しても、企業が強欲に「金儲けをしたい」と思うところから出発しても、結局はソーシャルグッドに至るのです。ＧＤＰＲが起点となり、コロナが加速させた「つながる社会」への高まりは、世の中の声、一人ひとりの声が集まって社会善を体現できるという新しいフェーズに時代を押し上げていくかもしれません。

ラナ・プラザ崩落事故の教訓

経済合理性だけでビジネスを回すことに対する規制の動きは、フランスにおいては「環境」を争点として、加速しました。

フランスはかねてから環境運動の長い歴史がありますが、それを国際的な大きな枠組みにしたのが、国連の「ＳＤＧｓ（持続可能な開発目標）」です。２０１５年にニューヨークの国連本部で開かれた「国連持続可能な開発サミット」において、「我々の世界を変革する：持続可能な開発のための２０３０アジェンダ」が採択されたことが起点になり、２０２０年以降はアクションプランを粛々と実行していく「行動の10年（Decade of Action）」と位置づけられています。

各国の取り組みの中でもフランスが突出しているのは、政府側からの規制を法律にまで落とし込んでいる点です。たとえばファッション産業における衣類づくりは、生産時に大量の水を使い、大量の二酸化炭素を排出するため、以前から環境負荷の高いものづくりだと見られてきました。

さらにもう1つの課題が、大量生産、大量廃棄の問題です。いわゆる「売り逃し」を避けるために、メーカーは過剰在庫を抱えがちです。第1章で、フランスが国ぐるみでグリーンエコノミーを進めていることに言及しましたが、2020年からフランスは、服の大量廃棄を禁止する法律を施行しています。国ぐるみで、大量廃棄を前提とした在庫管理を否定したわけです。しかも、今後は必要な数だけ生産する努力をしないと重税をかけるという、かなり踏み込んだ政策となっています。

ファッション業界が環境問題、ひいては途上国の労働問題に目覚めたきっかけがあります。それが2013年にバングラデシュの首都ダッカ近郊で起こった「ラナ・プラザ崩落事故」です。

これは、ファッション業界最大の汚点とも言われる出来事で、縫製工場が入った商業ビルが崩落し、1000人以上が亡くなり、2500人以上が負傷した事件です。「ファストファッション」の低価格の背景には、途上国の人たちを酷使して、ひたすら安い労働力で働かせていたという現実があったわけです。

ひびの入ったビルで働く従業員は事前に異変に気づいていて、なおかつ、地元の警察が退去を命じていたにもかかわらず、工場のマネージャーらは解雇をちらつかせて、働くよう強要したと報じられています。先進国の過度な価格競争によって、途上国の人たちに犠牲を強いたという意味では人災です。

このときの教訓から、今では製品の背景をオープンにする企業が増えました。消費者側も、自分が着ているものが、どのような生産現場を経てつくられているのか、そのプロセスで不当なことが起きていないかを気にする意識が生まれてきました。エシカル・ファッションという言葉もありますが、そうした具体的な消費行動への意識も高まりつつあります。

フランスの動きで興味深いのは、2020年6月に行われたフランス地方選です。この選挙では、マクロン大統領率いる与党「共和国前進」が大敗しました。それに対して、環境政策がメインの「緑の党」が躍進。マクロン政権側は、「環境政策が甘いのではないか」

と国民から痛い鉄槌《てっつい》を食らった格好です。この結果に私は「フランスは、民主国家の未来像を示しているのではないか」と思いました。この事例は、「経済合理性以外の価値」によって、政治においても強力なドライブがかかる可能性を示しました。

ポスト資本主義の鍵を握る中国フィンテック

昨今、「フィンテック（FinTech）」という言葉をよく耳にすると思います。これは「金融（Finance）」と「技術（Technology）」を組み合わせた造語で、テクノロジーの進化によって起きる金融業界の革新的な変化を指す言葉です。

フィンテック界で、データ社会のキープレイヤーとして躍り出たのが、中国のアリババ系列の「アント・フィナンシャル」と、ネット大手「テンセント（騰訊控股）」です。アント・フィナンシャルは、「Alipay」という中国最大のスマホ決済アプリを運営しており、企業時価総額は20兆円をはるかに上回ると言われています（２０２０年10月時点）。一方、ライバルのテンセントが提供するのが、「WeChat Pay」。中国はこの2大モバイル決済アプリで、中国国内決済のほぼすべてを独占しているという状況です。2社を合わせると、中国国内のユーザー数は約9億人と言われており、その影響力は計り知れません。

現在、この両者で展開が進んでいる「社会信用スコア」という格付けシステムに注目が集まっています。特に存在感が大きいのが、ここまでに何度かお話ししているアント・フィナンシャルの「芝麻信用」です。

これまで金融機関の信用評価については、職業や年収、金銭の貸借実績などを「減点式」で評価するのが普通でした。つまり、ちゃんとお金を払わなかった人にはマイナスの評価をつけ、一定以上のスコアに達するとブラックリストに入れるといったスタイルです。その数値を業界内で共有してモラルハザードを防いでいるわけです。交通違反の点数で取り締まる交通行政と同じような考え方です。

とはいえ、従来の銀行は、資金の貸し借りにまつわる顧客との取引情報しか持っていませんでした。したがって、それ以上の顧客情報を得ることはできず、貸し倒れを防ぎ、最小化するための顧客の信用リスク管理が頭打ちになっていました。

ところが、アント・フィナンシャルやテンセントは、「社会信用スコア」という独自の評価スタイルを導入しました。「社会信用スコア」とは、ある個人を取り巻くさまざまな状況とインターネットでの行動履歴とを突き合わせ、ＡＩを駆使して個人の信用度合いをスコア化するというシステムです。

このため、両社はあらゆるパーソナルデータをかき集めました。たとえばアント・フィナンシャルなら、決済システム「Alipay」の利用履歴、ネットショッピングの利用状況、公共料金の支払いの遅延の有無、金融サービスの利用などを徹底的に調べたうえで、個人の特性、支払い能力、返済履歴、人脈、素行などといった要素で個人をスコアリングします。

信用スコアが高い人には、獲得したスコアごとに、特定の国へのビザの発給申請がAlipay経由で可能になるサービスなどがあります。中国人はどこの国に行くのにも必ずビザが必要で申請にも時間がかかるため、こうした新たな評価軸によるサービスは重宝されているようです。また、テンセントの場合は、ゲームの中での行動のモラルや、ネット上での言動なども評価の指標に含まれています。

関係者によると、これらの情報を掛け合わせることで、貸し付けたお金の返済率が大幅に上がり、不良債権比率（貸し倒れ比率）が桁違いに変わったと言います。たとえば、Alipayにつく個人向け小口融資の場合は、Alipayにお金をチャージして、一定期間それなりの頻度で決済に使っていれば自然と信用が蓄積されて、芝麻信用のポイントが上がるという仕組みです。

芝麻信用の貸し倒れ率は1％強（2017年）だと知り、驚きました。個人の無担保ローンの貸し倒れ率は、一般的に約5～10％と言われており、それと比べると異例の低さであることがわかります。そうすると、もう既存の銀行は勝負になりません。芝麻信用は、あらゆるパーソナルデータを多元的に、しかも金融機関やさまざまなサービスを横断して組み合わせることで、今までの銀行が単独では実現できないようなサービスを実現したわけです。

このように、これからはデータを持ち、信頼ある運用ができる国家や企業が、競争力を持つ時代に入っていきます。世界のさまざまな取り組みからポスト資本主義への展望を見据えたとき、中国のフィンテック企業におけるパーソナルデータの運用は、民主国家においても重要なエッセンスになると感じます。なぜならそれは、「お金を超えた価値」をつくり上げる可能性にほかならないからです。

「加点式」でモラルハザードを防ぐ

中国の社会信用スコアにはプライバシーの問題など賛否両論があるのですが、ここでは一旦負の側面は脇に置き、ポスト資本主義経済の手がかりとなるような、正の側面に目を向けたいと思います。私は、その評価法、つまり、多元的な情報を組み合わせて「加点式」のボーナスを付与するというスタイルに注目しています。

たとえば、アント・フィナンシャルが展開する環境保護の取り組みでは、ユーザーがガソリン車を使わないで自転車や電気自動車で通勤したり、リサイクルの小包箱を使う宅配便を選んだりして二酸化炭素排出量の削減や環境保護に配慮した行動をとると、グリーンエネルギーポイントが付与されます。

ユニークなのは、ユーザーがポイントを獲得するごとに、自身で指定したバーチャル上の木が育っていく仕掛けです。しかも、その点数が一定以上になると、実際にその木が現実の世界にも植樹されて、自分が植えた木を見に行くツアーにも参加できるのです。低炭素社会に向けた行動を楽しく促す仕組みができ上がっています。また、ゴミを適切に分別して廃棄すると、重量に応じてポイントが付与されるといった仕組みもあり、データ社会のメリットを活かし、日常のあらゆるアクションが評価されるようになったわけです。

長らく中国では、「公共心が育たない」と言われてきました。しかし、評価の仕組みを変えることで、人々の善行を引き出せるようになったことは画期的です。実際、これらのアクションにより、世界の緑化に中国が貢献しているといった研究も報告されています。

豊かな「体験価値」が生まれる仕組みを整備したことで、ユーザー一人ひとりもメリットを享受でき、運営者である国家や企業も儲けることができます。そして何より、社会全体がよりよい方向に向かっていく社会善が、ムーブメントとして定着していきます。データで集積された「お金を超えた価値」が、実生活に影響力を持ち始めるのです。

データで包摂性が高まるのか、格差が広がるのか

アント・フィナンシャルは社会信用スコアのメリットとして、「『富の８割を所有する人口の２割の人々』のみを対象にしてきた金融サービスを、『富の２割しか持たない人口の８割の人々』に対して、同じ運用利益で拡張できる」ことを挙げています。

格差が拡大する中国では、ごく一握りの富裕層の中だけで経済を回しており、貧しい人にお金を貸せないという問題がありました。ところが社会信用スコアを用いることで、個人のこれまでの行動と実績を評価し、これまでクレジットカードがつくれなかったような人たちにもチャンスを与えられるようになったというのです。データで信用を見える化したことで、貸し倒れのリスクが減り、「富の２割しか持っていないけれど、人口的には８割を占める人々」の側にも、同じ利率で貸せるようになったわけです。結果的に、金融の包摂性が高まったということになります。

このパラダイムシフトは、格差是正の可能性を秘めています。「お金はなくとも信用はある」という人が、融資を受けたり、いい学校に入れるようになるかもしれません。

今までは恵まれない家庭に生まれたら、多くの人は大学に行けませんでした。高等教育を受けられるかどうかは、チャンスをつかむためにとても大事な条件です。仮に貧しい家の若者が大学に行くために、アルバイトで資金稼ぎに精を出し、親に仕送りをしながら5年ぐらいコツコツ働くとしましょう。それでようやく大学に行けたとしても、そこから勉学を始めるとなると、その人はもう、相当長い期間のディスアドバンテージを背負ってしまいます。滞りなく大学を卒業し、人脈に恵まれ、さまざまな勉学の機会や投資資産も持つ裕福な家庭の子弟と比べれば、10年以上は格差が開いてしまうと言っても過言ではありません。これは、高等教育の教育費が高騰している昨今のアメリカと同じ構造です。

でもこれからは、大学進学までにさまざまな信用を積んできた人は、将来の見込みの価値を評価されて、融資を受けたり、タイムリーに大学に入れるようになったりする。アント・フィナンシャルの中核メンバーの1人は、『アントフィナンシャル――1匹のアリがつくる新金融エコシステム』(みすず書房)の中でこう語っています。

つまり、生まれながら負の条件を持つ人も、生まれた後の行動次第で挽回しうる仕組みをつくるということです。これは、彼らの論理で言う「インクルージョン(社会的包摂)」であり、社会に貢献する人たちのポテンシャルを引き出すために、データを運用しているのです。

ちなみに、データを用いた包摂性の例では、途上国で拡大するマイクロファイナンス（小規模金融）におけるデータの活用例があります。社会起業家の慎泰俊《シンテジュン》さんが立ち上げた、アジアの複数国でマイクロファイナンスを提供する「五常・アンド・カンパニー」では、顧客のデータを集計、分析し、貸し付けた資金でどのような事業に取り組むとうまくいくかのアドバイス、あるいは事業における成功例を用いた経営指導を通じて貸し倒れ率を引き下げ、信用リスクを小さくしています。これは結果的に顧客の金利の引き下げにもつながるので、途上国地域での金融アクセスの改善を実現しています。個別最適を実現するデータは、包摂性と相性がよいのです。

さて、話を社会信用スコアの話に戻します。ここまでは、金融サービスをデータでドライブするポジティブな面にフォーカスしてきましたが、社会信用スコアには大きな課題があることも念頭に置いておくべきでしょう。

まず、芝麻信用は、評価基準をブラックボックスにしています。それも、国家が強く関与していることが懸念される形で信用スコアを用いているため、いわゆる「デジタル・

レーニズム」と揶揄《やゆ》されることがあります。実際、中国の金融事業者が寡占状態なのも気になります。少なくとも、社会信用スコアをより公正に実装するにあたっては、ある程度は評価基準をオープンにしたり、複数の事業者間の競争や切磋琢磨《せっさたくま》による「透明な」運営が必要となるでしょう。

国家のような強大な権力が信用の基準を決め、ブラックボックス化した中で運用していくと、社会信用システムは人々の「監視」に働く可能性があります。格付けが排除の論理として使われれば、かえって格差を助長しかねない、という指摘もあります。ブラックボックスの部分をいかに見える化するかというのが、これらのシステムを民主主義国家において運用するうえで、大きな課題と言えます。

私が社会信用スコアに可能性を見出しているのは、オープンなアルゴリズムを人々がボトムアップでつくりながら、「貨幣以外の価値」で社会を駆動させていける可能性を感じたからです。その一端が見えたことは、素直に評価していいと考えています。

もし仮に、アリババの創業者、ジャック・マーの理想である「仁義礼智真」のような多元的な価値軸に沿った評価システムを金融システムの中心に据えられれば、そして、そのアルゴリズムをボトムアップでつくり上げられるようになったら、これは中国の儒教思想をデータの力で反映した、新しい価値観になるかもしれません。

ブラック・ライブズ・マターに象徴されるような、資本主義が引き起こす格差の連鎖から脱出するために、貨幣以外の価値軸をつくって社会を回していくこと。これが、ポスト資本主義の社会の、可能性の1つだと私は考えます。一人ひとりの自由やプライバシーを重んじる民主主義国家においても、中国フィンテックから学べるところは学び、データ共鳴社会の新たなモデルをつくり出すことが必要です。経済合理性を至上とする資本主義を転換させ、「多元的な価値」に即して社会が駆動するモデルの発明、運用は急務なのです。

テックジャイアントが医療分野に参入する理由

ビジネスや金融の分野でデータが革新的な変化をもたらす可能性について見てきましたが、ここでは医療分野におけるデータの革新性についてお話ししたいと思います。

繰り返し述べているように、データは「個別最適」を可能にします。つまり、従来の

「平均値で一律に対処する」世界ではなく、「誰も取りこぼすことなく、一人ひとりに応じたオーダーメイドな対応ができる」世界です。

おかげで医療分野では、長らく絵に描いた餅になっていた「個別化医療」の輪郭が見えてきました。テックジャイアントが医療分野に参入してきた昨今の動きを見るに、データ革命のまさに1丁目1番地にあるのが医療なのだ、と強く実感しています。

医療と言うと、体調や症状がだいぶ悪くなってから病院に行って治療するもの、というイメージが強いかもしれません。しかし実際にはもっと広く、病気になる前段階の「ヘルスケア」も含む「健康」「暮らし」の分野といったイメージで捉えていただくと、理解しやすいかと思います。

2019年、アップルCEO（最高経営責任者）のティム・クックは、「これからアップルは、デバイスを売る会社ではなくなる」「未来の人たちがアップルを思い出したとき、人々に健康をもたらした企業だと言われたい」と公言しました。さらに、2020年夏には、グーグルが生命保険分野に進出すると表明しました。単純に金融分野に進出するだけではなく、ヘルスケアに紐づいたサービスを検討しているようです。

その一方で、トヨタ自動車のようなものづくりの会社も、ヘルスケアを踏まえたデータビジネスに乗り出す構えです。同社の豊田章男社長は、「モビリティカンパニーから第二創業をして、スマートシティをつくる」と言っています。奇しくも新型コロナのパンデミックが起きたことで、最先端のスマートシティにはヘルスケアに加え、暮らしの安全を守るライフラインとしての感染症対策が欠かせない要素として入ってきました。センサーのデータを活用してＡＩで健康状態をチェックできるまち、テクノロジーの力で手洗いが奨励されるまち……とアイデアは今後いろいろ出てくるでしょう。あらゆる産業がまちにある中で、その中核にヘルスケア事業が存在しているイメージです。

これだけグローバルプレイヤーが次々に医療・健康分野に進出してくる理由は、端的に言えば、８００兆円市場と言われるヘルスケア産業の将来性です。

データの活用に関しても、一ユーザー視点から見れば、病気になるリスクを減らせるのならデータの提供にも前向きでしょうし、企業側はそれらのデータでヘルスケアはもちろん、その他のビジネスにも紐づけてさまざまなサービスの展開が考えられます。

おまけにヘルスケアは企業のイメージもよくなるという期待があります。データを独占するビジネスが難しくなる中、社会からの信頼をつかむためには、企業側は「あなたの健康のために、このデータを使わせてもらいます」と説明するのが、いちばん説得力があります。ソーシャルグッドな企業イメージを打ち出すのに、いちばんわかりやすいのがヘルスケア産業だというわけです。

「体験価値」をデザインする

これからは、医療自体の形も変わっていくし、医療以外の分野からの参入者も増えていきます。医薬品の会社だからといって薬を売って終わりではなくなるし、新しい意味での「薬」を使った治療も生まれます。病を抱えながらも充実した生活を送っていくことをサポートするサービスも重視されます。「薬の先にあるヘルスケア」までつくっていくような世界が広がっています。

これからの時代、新しい医療産業を創出していく担い手は、データの利活用をするうえで特に「体験価値」をデザインするという意識が必要になってきます。医療に「体験」の価値を乗せたトップランナーと言えば、中国の「平安保険」です。同社はアリババグループ、テンセントに次いで時価総額3位（２０２０年1月時点）という規模を誇る、中国最大の民間の健康保険会社です。２０１５年に同社の子会社として、医療プラットフォーム企業「平安グッドドクター（平安好医生）」を設立。世界を驚かせる医療アプリサービスを展開し始めました。

まず、ユーザーは保険の契約をした時点でアプリをインストールします。オンライン上の問診サービスでは、症状をチャットや通話、テレビ電話で医師に伝えます。診断後には診断書がオンラインで届き、病院での治療が必要なら、そのまま予約に進みます。薬で治りそうなら処方箋が発行され、都市部だと1時間以内に薬を届けてくれるといいます。短時間で正確な診断ができるよう、これら一連の流れはＡＩで最適化されています。

平安グッドドクターが登場するまで、オンライン上で健康相談から診察の予約、服薬までがワンストップで完結しているサービスは、世界でも例がありませんでした。アクセスの悪い中国の病院事情も相まって、登録ユーザー数は急増。２０１９年末時点で3億人を突破しています。

登録した情報を手がかりに、あっという間にいい病院にたどり着ける、あるいは、自分の体に起こっている症状の変化を早めに把握できて早期に治療が始められる。そんな体験ができるとなると、保険会社の役割は、単に証書を売ることではなくなります。ユーザーは「健康を実現する体験」を得たいがために、保険サービスを選ぶ。そんな時代が来たわけです。

このサービスは、運営元である平安保険側からしても、顧客の健康を改善し、保険金支払いのリスクを低減することにつながります。まさにWin－Winの関係です。

自分に最適な医療へのアクセスを実現するということは1つの「体験」であり、同時にその体験自体が「薬」のような効果を果たす――。2017年、それを実証するような取り組みがアメリカで始まりました。アメリカの研究チームが主体となり、患者が病院でがん治療をした後、再発兆候管理のために、医療者がフォローするシステムをつくったのです。

このシステムでは、SNSや携帯電話の番号を登録してもらったがん患者に、医療者が定期的に質問をしていきます。「ちょっと痛みがある」「喉に違和感がある」というような症状が一定以上あるとき、医療者がすぐにコールバックして病院の受診勧奨を行うというものです。

従来、がんの治療では、ある程度の自覚症状が出てから病院に出向くというのが基本的な診療方法でした。しかし、医療へのアクセスが悪いと、ある程度の自覚症状があっても、足が遠のくこともあります。それによって検査後に半年から1年ほど再診までの間隔が空いてしまうので、その期間における再発を防ぐことがこのシステムの目的でした。

ＡＳＣＯ（アメリカ臨床腫瘍学会）で発表された研究論文によると、この仕組みの導入で、退院後の患者の生存期間が劇的に改善したといいます。つまり、医療へのアクセスを改善したフォローアップシステムは、再発防止に明確に効果があったのです。しかしこれは逆に言うと、医療へのアクセスに「壁」があると、救えるはずの命が失われる可能性があることを示唆するものでもあります。

再発兆候管理のように、長期の医療的なフォローアップを行うには、コロナ禍なら、ＳＮＳを活用すればよいのではないか。そんな発想で私が着想したのが、ＬＩＮＥ調査に組み入れた、行政による「新型コロナ対策パーソナルサポート」の取り組みです。

調査に協力してくれたユーザーは、体調に変化があった場合に、アプリのチャットボットでの対話やいくつかの追加アンケートを通じて、「医療機関の受診をお勧めします」など個々に合わせた情報が得られる仕組みです。何らかの不調があったらいつでも知らせてもらい、定期的にヒアリングもしていきます。何か引っかかる兆候があれば、速やかに医療機関につなぐという形です。

こうした一連の医療アプリの強みは、投薬することもなく、コミュニケーションギャップを改善するだけで治療に匹敵するような「改善」が見られることです。日進月歩のスピードでデータテクノロジーは進化しますから、時代に合った医療を、時代に合ったスタイルで受けていくためにも、医療の受け手である私たちは、脳みそをどんどんアップデートしていく必要があるでしょう。

スマホから「デジタルバイオマーカー」を引き出す

これからの未来では、アプリが「薬」のような役割を果たす時代が来ます。ＩｏＴ（モノのインターネット）やセンシング技術の向上で、睡眠、食事、運動といったあらゆる生活上のデータである「ライフログ」を手軽にとれるようになったことがその大きな理由です。そもそも「薬」の使い方も変わっていきます。病気が重くなった段階で進行を抑えたり、緩やかにしたりというのが、従来の薬の使い方でしたが、もっと手前の段階、予防医学の観点から「薬」を使うケースが急速に増えていくことでしょう。

今、ライフログの中で、日常の「歩行速度」を記録・管理する試みに注目が集まっています。高齢者の歩行速度の研究から、人は平均歩行速度が秒速0・8メートルを下回ると、一気に介護が必要になるリスクが高くなることがわかってきました。また心疾患などでの死亡率が跳ね上がるというデータもあります。実際には、秒速1・7メートルくらいから徐々にリスクが上がっているのですが、秒速0・8メートルを下回る段階より手前なら、毎日ウォーキングをするなどを心がけることで、状態を自力で改善できる可能性があります。

逆に秒速0・8メートルまで歩行速度が落ちてからでは、体力的に改善が難しくなります。そこで、「フレイル」の評価基準である歩行速度のライフログをとることでリスクを可視化し、改善が見込めない段階に陥る手前から介護予防を行っていこうという動きが出てきました。

「フレイル」というのは、健康な状態と要介護状態の中間にある状態を表していて、英語で虚弱を意味する「Frailty」をもとにした造語です。身体的機能や認知機能の低下が見られるものの、運動や食事など積極的な対策によって予防や回復が可能な状態を指します。日本老年医学会が２０１４年にこの「フレイル」という考え方を提唱したことで、高齢者の衰弱はそのまま介護に向かう状態だという認識は改まり、先制医療の動きにつながりました。

フレイル予防はリスクのシグナルを早くから捉えることがポイントです。とはいえ今まではそれを常時測定する方法がなく、「指輪っかテスト」で筋肉量の低下をチェックしたり、質問表に答えるといった測定方法しかありませんでした。

しかし今はスマホから歩行速度という定量的なデータがとれる時代です。数値という形で抽出した歩行速度のデータは、ヘルスケア専門家と共有することで、予防を超えた先制医療につなげていくことが可能です。これはデータそのものが、生体変化の兆候を示す「デジタルバイオマーカー」と言える状態になっています。

iPhoneも2019年秋にアップデートされたiOSのバージョンからは、歩行速度のライフログをとることができる機能を入れてきました。スマホやウェアラブルデバイスから手軽に「デジタルバイオマーカー」を引き出せるようになれば、重症化するよりもっと早期のタイミングから健康サポートを受けることができるようになるでしょう。

ライフログは、治療用のアプリにも使われています。たとえば、糖尿病治療に使われているアメリカの「BlueStar」。これは2型糖尿病の患者さんに、生活習慣や血糖値などのデータに基づき、アプリを通じてリアルタイム、もしくは1週間ごとなどの適切なタイミングでコーチングを提供するものです。要するに、疾患自己管理のための製品です。

このアプリは治験により、既存の糖尿病治療と同等以上の効果があることが認められて、2010年にはFDA（アメリカ食品医薬品局）の認可を受けました。また、大手保険会社から医療保険の適用も認められています。ほかにも、2017年にはアルコール依存症、薬物依存症の治療支援アプリがFDAに承認されています。もはや、アプリを使っていくうちに症状が改善するのであれば、それは薬であると認められる時代なのです。

２０２０年には、日本でも、医師が処方する「CureApp（キュア・アップ）」という治療アプリがアジアで初めて薬事承認されました。株式会社CureApp代表の佐竹晃太さんは医師の資格を持ち、ニコチン依存症治療用、高血圧治療用、非アルコール性脂肪肝炎治療用などのアプリを開発中とのことで、いずれも、初期段階の臨床試験、もしくは治験を行っているところです。

デジタルデータを使って人の命を救ったり、さらには、それを知財として薬にしたりする世界は、もう広がっています。テックジャイアントのアップルも、「アップルウォッチで不整脈が検知できるか？」といった研究調査を始めたり、ウィズコロナの時代に対応して、最新版のアップルウォッチに手洗いを管理する機能を入れたりしているそうです。

これらの機能を使う側からすれば、リアルタイムに「健康が向上する感覚」が返ってくることで、継続的かつ日常的に健康管理ができるわけです。ライフログを活用する試みも治療アプリも、これらはまさにデータによって生み出された新しい「体験価値」なのです。

「健康に無関心な人たち」をどう包摂するか

自戒を込めて言うと、今までの医療は基本的に、がんや脳卒中など重い疾患ばかりを対象として捉えていて、命を守るという視点で見ると偏りがありました。

1つ興味深い資料があります。東京大学の老年学の研究者で、高齢社会総合研究機構特任教授の秋山弘子さんがまとめた研究で、30年前の日本の高齢者が、60歳を過ぎてからどういう人生をたどるかを追跡調査したそうです。

その結果わかったのは、約2割の人が、70歳を迎える前の段階から寝たきりになり、その状態で10年ぐらい過ごしているということ。大半の人が、70歳を超え始めたところから徐々に歩けなくなるということ。そして、80歳を過ぎても元気に働ける人は、1割程度しかいない、という結果でした。

高齢化社会を迎えるにあたり、この「元気に働ける人たち」の割合をもっともっと増やしていかなければなりません。健康な高齢者が増えれば増えるほど、その人たちは社会にさまざまな形で貢献してくれるので地域やコミュニティが活性化されるはずです。

行政も健康づくりや介護予防の教室をあちこちで実施してはいます。でも、いくら宣伝しても、そもそも健康に無関心な人には響かないというジレンマがあります。そこに参加するのは、大抵は「すでにある程度健康」な人たちばかりです。もともと健康志向が高くて豊富な情報を持っていたり、筋力を自慢するくらいに体力のある人たちだったりします。先ほど述べた「フレイル」を予防するような視点からすると、「健康に無関心な人たち」をも包摂したアプローチをどう設計するかが今後の課題になってきます。

栄養を適切にとり、カロリーをとりすぎず、適度な運動を行うことが大事なのは、多くの人は百も承知です。けれども、このような正しい主張を前面に出してアピールしても、健康に無関心な人はピクリとも動きません。多くの人にとって、健康は目的ではなく手段なので、それをわざわざ「気をつけましょう」と言ったところで響かないのは当然です。

私は、「健康に無関心な人たち」をも包摂するアプローチの鍵になるのは、「楽しさ」の創造だと考えています。楽しさの先に健康があるイメージです。

ここで言う楽しさは、人により千差万別です。たとえば、年をとっても山登りを楽しみたい人もいれば、80歳を超えても人と楽しくおしゃべりをしたいという人もいます。人によって求めている「健康」の中身は違うので、健康になった先の「生き甲斐を感じながら楽しく過ごせる人生」に寄り添っていくアプローチが大事です。

それぞれ異なる「豊かさ」を実現するために、「手段としての健康」を後押しする。そのためには、個別最適を可能にするデータの存在が欠かせません。個々に寄り添うサポートの設計には、人それぞれのうれしさや幸せに寄り添うことができる、データの力が必要なのです。

個人×産業×医療で「楽しさの先にある健康」を共創する

ここまでお話しした予防医学の観点から、健康の習慣づけにもってこいなのが、「ポケモンGO（Pokémon GO）」というスマホのゲームアプリです。これは、アメリカのナイアンティック社と株式会社ポケモンが共同で開発したもので、リアルなまちなかに出向いて、ポケットモンスターと呼ばれるモンスターを捕まえるゲームです。

これは現実の地図の位置情報を使いながらリアルなまちの中を探索して、他の探索者とも交わりながらポケモンを探す点が特徴です。楽しみとセットで「歩く」ことを前提とするゲームということで、「楽しさの先にある健康」がうまくデザインされています。このゲームは、これまでダウンロードした人が10億人を超える大ヒットゲームになりました。おかげで、10億人が少しずつ健康になっていると言えるかもしれません。

ポケモンGOの場合、たとえば自然を楽しみながら、名所めぐりをしながら、おいしいものを食べに行ったついでにといった「多様な楽しさ」を追いかける過程で、自然と健康な行動をとることができています。おまけに、現代社会の大きな課題となっている「社会とのつながり」を、ゲームを通じて得ることも可能です。

このアプリは、もともとグーグルの社員だったナイアンティック社のCEOジョン・ハンケが、ゲーム中毒だった自分の子どもを、「どうやったらソファーから動かすことができるか?」と考えたことから始まったと言われています。だから、どんなに頑張っても、自分が歩かないことには少しも面白くないゲームとしてつくられているわけです。

ポケモンGOの健康への効果を示す研究も少しずつ出てきています。私も2019年に、株式会社ポケモンと健康効果を検証する研究を行いました。今も、科学的な検証は続いています。当初はユーザーの分析結果から、「ゲームのスタート直後は歩く運動量が増えたけれど、その後は持続しない」という発表もありましたが、ゲームに改良が加えられ、画面を閉じているときに歩いた実績もカウントされるようになりました。

これによってゲームをしていない日常のシーンでも歩くことで、アプリの卵が孵化《ふか》するという機能が加わり、結果として運動の持続性にも効果が見られ始めています。さらに今後は、睡眠をトラッキングしてエンタメ化する「ポケモンスリープ」の計画もあることが発表されています。

個人の日常生活と楽しみを企業がサポートしながら、健康づくりも担保していくポケモンGOの取り組みは、近未来の「共創」の在り方を私たちに提示しているようです。そういう意味では、ポケモンGOは立派な「MedTech（Medical + Technology）」と言えるのです。

第4章

データ共鳴社会の実現に向けて

データ覇権でも一元的監視でもない、「価値共創社会」へ

ここまでデータ共鳴社会のさまざまな形に触れてきましたが、その実現にはまだまだ課題が多いことも事実です。本章ではデータ共鳴社会における課題は何か、それらをどう突破するかについて述べたいと思います。

ちょうどこの本を執筆しているときに、菅義偉内閣が発足し、行政のＤＸ（デジタルトランスフォーメーション）を推進するデジタル庁の構想が持ち上がりました。２０２１年1月の通常国会では、デジタル庁設置法案を含む関連5法案を提出。さらに、政府は２００1年に施行されたＩＴ基本法（高度情報通信ネットワーク社会形成基本法）の抜本的改正も目指すとしています。

私は２０２０年10月末、デジタル庁創設に向けた方針を検討するワーキンググループで、有識者としてプレゼンテーションをする機会を得ました。国や行政の在り方を問い直すうえで、デジタル化はあくまでも手段であり、アナログのデジタル化という点だけに囚われることなく、デジタルという選択肢の中で国の新しい在り方を考えるべきではないか

という話をさせていただきました。

データ共鳴社会へ移行するにあたり、日本が目指すべき道は、多様な主体が担い手となり、共創しながら生活者一人ひとりにとっての価値を実現していく「価値共創社会（Value co-creation society）」だと考えています。それは、アメリカのような巨大プラットフォーム企業によるデータ覇権社会でもなく、中国のような国家主導による一元的監視社会でもない、独自の道です。

日本が目指すべき次世代の社会システムの方向性としては、主に３つの類型が挙げられます。①「アメリカ型」、②「ＥＵ型」、③「中国型」です。しかし、この３つの類型のいずれもが、それぞれに課題を抱えています。

①「アメリカ型」は、ＧＡＦＡをはじめとするテックジャイアントの隆盛により社会の流れがつくられる「企業主導」型のモデルです。驚くべき速さで新しい市場価値を生み出し、富のパワーにより圧倒的な影響力を及ぼすことも可能です。けれども、巨大プラットフォーマー間の「データ覇権競争」に終始してしまうと、個人一人ひとりの不利益になることはすでに述べた通りです。アルコール依存症の方にアルコールを勧めるような問題あ

るテクノロジーの使われ方を今後どう抑えていくか、といった課題を打破しなければなりません。

対して、②「ＥＵ型」は、「個人の尊重」を重視するモデルです。ＥＵはＧＤＰＲの推進を通じて、データ覇権競争に待ったをかけました。これによって「ユーザーからの信頼を得られない企業は、今後データ活用型のビジネスはできない」という意識が根付きました。

しかし繰り返すように、ＧＤＰＲには運用面における課題が多数あり、柔軟な活用が難しい側面もあります。アメリカがＥＵ型に寄せることなく「企業主導」のモデルで進んできているのは、「ＧＤＰＲは経済のブレーキばかりをかけていて、ナイトメア（悪夢）のようだ」という肌感覚でいるからなのでしょう。

③の「中国型」は、個人のプライバシーが国家に筒抜けになるという問題があります。トップダウンで一元的な管理により、監視社会に移行する可能性が高い。価値の多様性を育むのが難しいという側面は、やはり看過できない課題です。

一方、中国をはじめとする共産主義国家は、コロナ対策において国家が一体となった取り組みに集中できるというメリットも示しました。また第３章で述べたように、「社会信用スコア」を導入して、信用経済を強力に推し進め、新たな社会の輪郭のヒントも提供しています。こうしたメリットやヒントは、未来のデータ共鳴社会を考えるうえで大きな助けになります。

私は、これら各国の現状から最善のシナリオを考えることが大事な局面ではないかと考えています。３つのモデルの長所を組み合わせた、日本型の「価値共創社会」について述べていきたいと思います。

日本がデータ・ガバナンスでイニシアチブをとれるチャンス

日本型の「価値共創社会」を実現していくうえで大事なのは、多元的な価値に基づいて実現する「人と人による価値の『共創』」です。一人ひとりの「生きる」を響き合わせ、それぞれの考える社会善を共有価値として尊重しながら社会をつくり上げ、多様な主体の共創によって生活者の価値群それぞれが実現できる社会を目指したいと思っています。

そんな多様な価値を糊付けするのは、データにしかできない役割です。私はデータサイエンティストとしてさまざまなプロジェクトに携わっていますが、いずれもこの「価値共創社会」へと向かうイメージを明確に持って動いています。ビジョンの提示と実践とを行き来しながら皆さんと協力し、さまざまなプロジェクトをくさびのように社会に打ち込んでいくのが私のやり方です。くさび自体もうまくデザインして社会の中に入れていけば、それは「共有価値」となって新しい流れをつくっていけるかもしれない。そう考えて日々、社会変革に挑戦しています。

ここ最近、私は国のプロジェクトに関わる機会が増えてきました。最近は世界経済フォーラムと一緒に、データ・ガバナンスの在り方を提言するプロジェクトを進めています。

近年、日本は国際的なデータ管理のルールづくりに関するイニシアチブをとり始めており、2019年に開催された世界経済フォーラム年次総会（ダボス会議）に出席した安倍晋三首相（当時）は、「成長のエンジンはもはやガソリンではなくデジタルデータで回っている」「新しい経済活動には、『Data Free Flow with Trust（DFFT）』が最重要課題である」と提言しました。DFFTとは、単なるデータ流通ではなく、「トラストのある」「自由な」流通ということです。

さらに、安倍前首相は、「Society5.0」（第１章参照）の社会像を提示しながら、データガバナンスに焦点を当てた議論を「大阪トラック」と名付け、信頼に基づくデータフロー体制の構築に向けた話し合いを、ＷＴＯ（世界貿易機関）の屋根の下で始めてはどうかと世界に投げかけました。

「大阪トラック」は、デジタル経済にまつわる国際ルールづくりがミッションで、特にデータ流通や電子商取引に関して、国や地域を超える形で合意形成していくものです。同年のＧ20大阪サミットで開催された「デジタル経済に関する首脳特別イベント」で正式に発表されたことから、こう名付けられました。

大阪トラックの議案を認める覚書には、インド、インドネシア、南アフリカを除く、24カ国がサインしたといいます。国際的なコンセンサスを得る中で、日本がその数年前から提唱していたＤＦＦＴを実現するためのプロジェクトを立ち上げています。このような場を通じて、日本は「データを共有する中で新しい価値を共創していきましょう」と世界に提案しているわけです。

私も微力ながら、ＤＦＦＴのビジョン共有と具体化の検討を進め、その流れで大阪トラックにも参画しています。私は一貫して「価値共創社会」を念頭に置きながらグローバルステークホルダー、つまり各国の政府はもちろん、企業やNGO、さまざまな主体と対話を重ね、どういうビジョンや実践が必要なのかを検討しているところです。さまざまなディスカッションの場で、所有の概念が強かったEUからも、データを共有財にしていくことも含めて好意的な反応が返ってきていますし、大企業主導のアメリカ、テックジャイアントたちの感触もよく、いい流れができてきたと感じています。

「個人」を軸にオープンなプラットフォームをつくる

では、DFFTという構想を具体的に進めていくには、どのようなアプローチが望ましいのでしょうか。Trustの「T」が示す通り、「信頼を高める」データ・ガバナンスが必要なのは言うまでもありません。

さらに、「個人」を軸にしたデータ、いわゆる「パーソナルデータ」活用の整備が最重要課題に押し上げられてきました。もともとDFFTが提唱された頃は、ノンパーソナルデータの流通から話が始まったのですが、ここ2年ほどでパーソナルデータの重要性がより高まり、こちらが本流という流れになってきました。

パーソナルデータの利活用にはプライバシーの観点から十分な配慮が必要なため、ここでもトラストの視点が欠かせません。トラストを得ながら、パーソナルデータの利活用を広げていく施策を考えていく必要があります。

パーソナルデータの活用が叫ばれる最も大きい分野は、第３章でもお話ししたヘルスケアの分野です。アップルをはじめとするテックジャイアントが次々と参画してきたことに加え、最近は新型コロナ感染症対策の視点も加わってきたため、厚生労働省管轄のミッションにおいても、個人のデータ活用が重要なテーマに浮上しました。

さまざまなアプローチがある中で、私が1つの具体例になると考えているのが、２０１７年に厚生労働省から提案された「ＰｅＯＰＬｅ（Person-centered Open PLatform for wellbeing）」という新しいプラットフォームのコンセプトです。これは、個人を中心にあらゆる医療情報をオープンに活用することを目的としたプラットフォームです。さまざまなステークホルダーが公正に、オープンにデータを共有して活用する中で、ともに新しい価値をつくり出そうとする思想の下に生まれたプラットフォームで、企業や国家が独占的にデータを保持するのではなく分散して管理し、必要に応じて適宜つなげるという運用を目指しています。

PeOPLeは、情報共有の主権はデータの提供者「一人ひとり」にあると規定しています。そのうえで、「人々を中心に据えて（Person-centered）」情報を流通させることにより、その情報活用によって得られた価値を一人ひとりに還元していくという、そんな考え方の下につくられています。

特にヘルスケアの分野では、1人の患者のデータから診断や治療法を考えるより、何百何千という単位でデータを集めたほうが、個別的な診断や治療に活用できる可能性は高まりますから、個人もそのメリットを享受することが可能になります。


たとえば、新型コロナウイルス感染拡大を受け、LINEと厚生労働省が協力して行った「新型コロナ対策パーソナルサポート」プロジェクトでは、AWS（Amazon Web Services）の協力により、企業が関与しながらも、オープンで公正なデータ活用の在り方を示す1つのモデルが示されました。そこで活かされているのは、次のような考え方です。

企業が営利目的でデータを排他的に利用する場合に、「オプトイン」（ユーザーが情報を受け取る際や自らに関する情報を利用する際などに、許諾の意思を示すこと）による同意を必要とする。もう一方で、医療の質の向上や医薬品の安全管理などの公的な目的でデータを利用する場合は、企業がログを残し、誰がアクセスしたのかが明白な形でデータ利用の管理を行い、匿名加工をする。ユーザーは、公的であってもデータを活用されたくないと思えばオプトアウト（許諾しない意思を示すこと）できる設定にする、というものです。こうすれば公正さを保ちながらも、企業をはじめとする幅広いステークホルダーが柔軟にデータを利活用できるようになります。

厚生労働省のデータヘルス改革の取り組みにアドバイザリーボードメンバーとして関与している私は、今後もＰｅＯＰＬｅというコンセプトを軸にデータを活用する理念を公的な側面からビジョンとして提案していく予定です。

こうした幅広いデータの利活用にあたり、日本の保健医療行政において、供給者の組織ごとに大きな壁があるという課題も、あわせて解決していかなければなりません。

今、日本では、患者や国民の保険医療データは、医療機関や保険者、自治体などがそれぞれ保有し、分散している状況です。たとえば医療機関のカルテ、薬局の調剤録、自治体の健診の記録、あるいは診療報酬を請求するレセプト情報……と、それぞれがバラバラの管理になっていて、データの有効な利活用を阻む原因の1つとなっています。

個人という軸で見ると、健康なときから病気や介護に至るまで、さまざまな保健医療データを持っているわけです。それぞれ個人のデータを経年でつなげていくことで、その価値は大きく高まっていきますから、日本の現状を打破するには、ＰｅＯＰＬｅが掲げるような仕組みをいち早く整備することが大切です。たとえば、第3章で示した、データを活用したアプリなどの「新しい薬」についても、一人ひとりのデータが蓄積されて時系列でつながっていれば、より有効な「薬」を提供することが可能になります。

保健医療にまつわる大々的な動きとしては、これまで世帯ごとに振られていた被保険者番号を個人単位化し、マイナンバーに紐づけることによって、マイナポータルを活用し、本人が情報を閲覧できるシステムが構築されていきます。この2年以内にマイナポータルを使って、健診情報や薬の情報などが提供されていくようになるでしょう。いずれ、病院のすべての情報がつながっていくと考えています。

今後、スマートシティが普及していけば、地域にセンサーを通じたＩｏＴ情報が蓄積されていきます。そうすれば、レセプト情報や介護データベースといったさまざまな公的データベースを連結し、公的データだけでなく、ＩｏＴから得られるさまざまなライフログ、センシングデータも活用して、人々のサポートに活用していくことも可能になります。

個人のプライバシー保護に配慮しながらも、一人ひとりの多様なライフスタイルに寄り添う形で、そっと健康をサポートしていくような仕組みがデジタルデータによって実現する――。そんな未来が、もう、すぐそこまで来ているのです。

海外にあるのに日本にはない権利

「個人」を軸にしたデータ活用が進む中で、データ利用の権利を保護する法整備が急務となっています。ＧＤＰＲをはじめとして、世界はすでに個人情報を含むデータ・ガバナンスを根本的なところから見直し、データを利活用した国家・企業の運営、文化の醸成というところまで踏み込んでいます。日本も、パーソナルデータやプライバシー保護の在り方について、根本の部分から見直す必要が出てきています。

たとえば、自分のデータが、あるテックジャイアントのサーバーにごっそり入っているのに、そのデータを見ることもできず、どこにも移せない状態を想像してみてください。そんな状態では、うかうかそのサービスを解約もできず、特定の企業に自分の権利が支配されているような状況にもなりかねません。そうならないためにも、EUは個人情報保護のスタートラインとして、GDPRの施行を皮切りに、データにアクセスする権利やデータポータビリティ権を保障することを規定したのです。

一方で日本は、データにアクセスする権利の設定は限定的であり、データポータビリティ権もまだ保障されていない状況です。サービスを使っている企業に対して、「何かおかしい」と思ったとき、疑義を呈するためには、そのサービス圏内から離脱できる権利を持っていないと不利になります。そのときに、その2つの権利がないために、全情報を置き去りにしてサービスから離脱するぐらいしか方策がとれないというのは、危うい状況です。中国でも、アメリカのいくつかの州でも、データポータビリティ等に関連した法律はすでに整備されています。

データはＴａｋｅしない。価値を返すのが鉄則

私は医学部の教授をしています。よく、「お医者さんなんですか？」と聞かれますが、違います。私がデータを扱う科学者という立場から医学を深める道を選んだのは、「お金ではないもの」によって社会を駆動することが、これからの社会で重要になるという確信があったからです。社会をよりよい方向に少しでも近づけるような仕事に取り組みたかったですし、学生の頃から、この文明の転換点に貢献できるような「何か一石」を社会に投じることを行いたいと考えていました。

そう考えたとき、多くの領域では課題が山積していましたが、医療分野ではすでにお金ではなく、命やＱＯＬ（クオリティ・オブ・ライフ）を軸としたサイクルが確立されていたのです。お金よりも「生きること」が先行していて、お金とは異なる価値が可視化されながら、その中でパラダイムがつくられているもの。それが医療だと気づきました。

私は大学の学部から大学院（専攻は保健学）のときも含めて、医療分野の枠を越えて、

脳科学や心理学にのめり込んでいました。さらに、さながら武者修行といった感じで、法哲学や憲法学のゼミにも出ていました。
そのときに強く関心を抱いたのが「クオリティ・オブ・コミュニケーションズ」です。これは、「クオリティを可視化することで、初めてコミュニケーションは説得力を持ち、相手に伝わる」という考え方です。ということはその逆——クオリティが曖昧だと、コミュニケーションはとれない。

そのことを身をもって知ることになったのは、外科領域での治療症例を集める「心臓外科データベース」のプロジェクトの分析に携わるようになってからです。このプロジェクトを手伝い始めたのは、私が28歳のときです。これは、私が長年関わるNCD（National Clinical Database）の前身にあたるプロジェクトで、外科医療の質を向上させる目的で始められました。
元Twitter Japanの会長で現在は公益財団法人国際文化会館理事長の近藤正晃《まさあきら》ジェームスさんが、当時、東大医学部教授だった髙本眞一先生（現・名誉教授）とともに「東京大学医療政策人材養成講座（寄附講座）」を立ち上げ、私はそこの助教を務めていました。

高本先生は、その数年前から心臓外科データベースのプロジェクトに取りかかっていらして、「分析を手伝ってほしい」と私に声をかけてきたのです。近藤さんも、高本先生も、今の私のキャリアを形づくるうえで大事なことを教えてくださった存在で、私が師と仰ぐ方々です。

従来の病院では、手術などの治療に関する結果のデータをとるときには、「生存」「死亡」といった程度の単純な指標しかなかったのですが、指標を細かく設けて、評価の質を上げていきました。たとえば「今の外科医が努力をして、改善できる合併症とは何か？」という視点から、手術の種類別に合併症との相関関係を洗い出し、まずは外科医自身が自己認知を深めていくところから始めたのです。

私がこのプロジェクトに関わり始めた頃は、参加する医療施設は、わずか数十施設程度でした。説明に出向いても、大抵は「海のものとも山のものともわからない」という反応が返ってきました。治療結果のデータを提出していただきたいと求めても、「なぜ、あなたたちに治療成績を出さなければならないのか？」などと疑問をぶつけられたこともあり、半ば「針のむしろ」状態でした。

確かに、手術を受ける患者さんにとっては、医師や医療機関の治療成績は、とても関心のある情報なのですが、医療者からしてみれば、自施設のデータを提供するのは、ある種の脅威のように感じられることもあるのでしょう。

たとえば、執刀する医師が、ときに失敗している場合もあります。負の経験も含まれる情報を他人に知られるのは、誰しも嫌なものです。医師も人間ですから、できることなら秘密にしておきたいという心理も働きます。しかも、外部から私がノコノコやってきて、「データを出してください」とお願いしても、ただでさえ医療現場は忙しいのです。相手側からすれば、何のためにこのデータを入力しているかわからないうえ、たいへん厄介なミッションだと感じられたことでしょう。

実は、昨今の日本のマイナンバー行政の失敗も、心臓外科データベースの仕事に関わり始めた当初の私と同じところに原因があると思います。「マイナンバーカードをつくってください」と言われても、それでどれだけ暮らしが便利になるのかが一般の人に伝わらなければ、登録に協力しようというモチベーションは上がりません。

マイナンバーについては、宣伝が足りなかったというより、その人にとっての価値をつくったり、その価値をきちんとわかってもらえるよう伝えることができる「質を伴うコミュニケーション」が欠けていたように思います。「マイナンバーと銀行口座を紐づけたら、税金を真面目に払っている人は必ず得します」というような登録のメリットを、具体的に伝え続ける努力は大事です。

話を「心臓外科データベース」に戻すと、このプロジェクトはとても高い志から始まっています。私を引き込んでくださった高本先生は心臓外科の名医で、長年「患者のための医療」を追求してこられました。高本先生が常々おっしゃっていたのは、「患者とともに生きる医療を行い、よりよい社会のために貢献する」という言葉です。

私もこの言葉に共感し、当初は協力施設とのコミュニケーションの壁で難航したものの、「なんとしてもこのプロジェクトを前進させていこう」と踏ん張りました。試行錯誤を繰り返す中で、データを提供する側と受け取る側との目的意識の共有に力を注ごうと決めました。たとえば私は、お願いする相手には、こんなふうにメッセージを伝えていきました。

「今お願いしているプロジェクトは、患者さんのために、医療の質を向上するためにやっています。解析結果は、臨床現場にお返ししていきます。そして、いただいたデータを可視化することによって、医療施設の治療成績は必ず向上していきます」

すると、医師の方々は、手術症例が積み上がっていくことで医師側の専門性が高まることを理解し、主体的にデータを出してくださるようになりました。協力施設の数は次第に100や200施設へと増えていき、NCDへと引き継がれた今では、5000以上の施設にまで増えました。世界でいちばん大きな学会主導のデータベースになったのです。

「針のむしろ」の状態から協力施設がぐんと伸びるに至ったポイントは、データを提出することで、よりよい医療に結びつく価値が生まれることを可視化したことです。それは、解析結果を予測統計として現場へフィードバックしたことで明確になりました。

たとえば、ある外科手術を行った場合に、どういう患者さんが死亡するのか、どういう患者さんが合併症を発症しやすいのかについて分析し、予測モデルをつくりました。フィードバックは、視覚的にパッとわかるように行いました。データ入力のシステム部分に、「こういう予測統計モデルをつくったので、入力していただくと、こんな機能が使えますよ」という文言を組み込んでおきます。実際に、医師がデータを入れると、自動的に治療結果の統計資料が画面に出てきて参照できる仕組みです。

この仕組みは、医師と患者間のコミュニケーションをバージョンアップしていくのにも役立てられています。この予測統計があると、患者さんへ事前説明をする際にも、根拠のある資料として使えるようになったからです。

こうした分析を重ねていくことによって、実際に医療の質は向上していきました。仮に「自分の腕なら絶対助かります」と自信を持つ医師がいても、「失敗の確率は20人に1人くらいでしょう」というように、以前は経験値でしか話せなかったわけです。「私は名医だから、難しい患者の手術をたくさん引き受けている。だから、一見、執刀した手術の死亡率は高そうに見えるけれど、簡単な手術だったら、患者の死亡率は実質ゼロになる」と言い張るお医者さんがいたとしても、誰も検証できなかったのです。

そこで、手術の難易度の重みづけを補正したうえで治療成績を出してみたところ、そうした「名医」であっても、手術ごとに得手不得手はあるとわかってきました。医師の腕ばかりではなく、急変時の対応の仕方に問題があったり、あるいはＩＣＵチームとの連携に問題がありそうなど、さまざまな指標から、改善の余地があるポイントが浮かび上がってきました。世の中は日進月歩で手術法もどんどん進化していきますから、その進化の中で他施設とも切磋琢磨していかないと、時代に取り残されてしまいます。どんな分野でも、質の改善に有効なのは、やはり振り返りです。

私は「心臓外科データベース」および「NCD」での経験から、データを扱う際の基本コンセプトは、「Give and Share」だと学びました。データを取得し、共有した瞬間から返せる価値があることとは、データ運用を広げていく中で大きなポイントになる。このことは当時の私にとって大きな気づきでした。つまり、データをもらうなら、どう「フィードバック」するかを先に考えてから設計すべきというのが、私の中の鉄則になったのです。

これは決して「Give and Take」ではありません。「Give しますから、Share をさせてください」というところが重要です。相手に貢献して、相手の協力で得られた成果は、必ず、社会やみんなと共有すること。コロナ下で行ったLINE×厚生労働省の調査プロジェクトにおいても、もちろん、この方針を貫いています。

フリーライダーの問題をどうするか

今、ＧＡＦＡをはじめ、パワーを持つテックジャイアントが軒並み医療分野に参入してきましたが、個人情報を単にかき集めるだけでは、ビジネスになりません。彼らは彼らなりに自分でシステムを組み立て、データの洗い出しをしながら「価値あるデータ」を生成しているわけです。さまざまな交通整理がなされて「価値あるデータ」となるまでには、人的、金銭的、あるいは知財的なリソースが、かなり割かれているはずです。

だとすると、ＧＤＰＲが出てきたからといって、彼らの努力の結晶として蓄積されているデータを、個人が勝手に「これは私のものだから」と言って取り出し、共有され、別のビジネスに流用されたら、彼らの努力や知恵も台無しになり、価値あるデータを生み出した際の投資コストを回収できなくなります。ですので、価値あるデータづくりに貢献した人たちへの利益還元も含めたうえで、情報のエコシステムをつくることも大事だと思っています。

医療側のプラットフォーマーとして私が苦労していることの1つに、「フリーライダー」の問題があります。私自身が携わっているＮＣＤでは、５０００以上の医療施設と連携して膨大なデータベースを構築していますが、フリーライダー問題は避けては通れません。

たとえば「この施設のデータはもともと全部自分たちのものだから、その分析結果やデータも無料でください」という依頼もありました。けれども、私の立場から言わせていただくと、運営構築まで10年かかって、年間億の単位の資金をかけて回して、ようやく蓄積しているデータなのです。そのままフリーで提供していたら、おそらくデータを生成しようと思う人はいなくなります。

私たちと同様、「手間暇やお金をかけて生成したデータを、丸ごと渡すようなことはできません」と言い続ける苦労を抱えているのは、どこのプラットフォーマーも同じです。タダ乗りを認めたが最後、市場はフリーライダーに埋め尽くされてしまうでしょう。

ですので、NCDでは、データポータビリティ権については一部認めながらも、自分の組織のデータなら無制限にダウンロードしてよい、とは認めていません。私がデータを、あえて「公共財」とは言わず、「共有財」と言葉を選んで表現しているのは、そうした理由があるからでもあります。

食×DXで農業の限界を超えろ！

少し話は変わりますが、ヨーロッパの友人が来日したとき、日本のテレビを観ていて、「日本はなぜ、こんなにも食の番組が多いんだ？」と驚いていました。食文化へのこだわりは、中国にも韓国にも通じるところがあるでしょうし、たぶん東アジア全般の特徴なのではないかと思います。確かに、周りでも「生きることは食べること」という考え方の人は多いですし、何を隠そう私も、食のことをとても大事に思っている者の１人です。

やはりお国柄というのはあって、たとえばドイツ人は、食にはそれほどこだわりを感じないのですが、彼らは「森の人」と自分たちのことを呼んでいるぐらい、環境問題を大切に考えています。理屈っぽい話も大好きで、やっぱりカントを生んだのはドイツという土壌にあると感じます。一方、フランス人は日本人と同様、食文化を大事にしています。環境問題についても意識は高いですが、その改革の契機になったのがファッションというのも、彼らの特質をよく表していると感じます。

日本人の食へのこだわりは、ＤＸが進んでいくと、データの力で農家を「多元的な価値観」によって後押しする動きに弾みをつけると言われています。そういう意味で実は今、「食の多元的な豊かさ」で日本が世界をリードできるチャンスが巡ってきているのです。

なぜ、こんな話をしているかと言うと、「多元的な価値観」と対極的なところにある、見過ごせない動きがあるからです。それは、アマゾンがアメリカの高級スーパーマーケット・チェーン「ホールフーズ・マーケット」を買収したことによる、農業界の打撃です。

アマゾンといえば、経済合理性を追求する代表的企業であり、ビジネスの大規模化で「均質的」にモノを流通させていくビジネスが得意です。買収が決まった当初、投資家たちは皆、「オンラインとオフラインの両方で、アマゾンが食料品市場を支配するだろう」と予測していました。実際にサービスの開始後も、既存の流通、小売の在り方を徹底的に壊して合理的な流通形態を実現。オンライン注文から1時間で生鮮食品を店頭で受け取れるサービスを開始するなど、合理主義の極みのようなサービスが生まれました。それは、食が「モノ化」したということでもあります。

実は食に関して、買収前のホールフーズ・マーケットは、どちらかと言うと「ちょっと高くても、おいしい食材」や「地産地消のオーガニックな食材」を扱っていました。ところがそのよさが、アマゾンに買収されてからは消失してしまいました。その結果、均質で安いが、あまり質の高くない食材が広がってしまいました。こうした現象についてのレビューは、多くのメディアでも報道されました。

日本も大規模ビジネスの弊害という意味では、これまで大なり小なり、似たようなことを経験してきています。私はアマゾンの動きを見ていると、合理性だけの体力勝負では、日本の食も農業も、未来はないだろうと思っています。だから今後は、経済合理性だけにとらわれることなく、「多元的な価値観」で駆動する新しい食文化をつくりたいと考えています。

私は今、農業界の人たちと、「多元的なおいしさ」をデータで可視化して、合理性の先にある新しい市場をつくっていこうと協議を始めているところです。たとえば、今までの農業は、農家が10円で売ったものを市場に１００円で出して、間の70～80円分は農協を含めた中間流通業者などに抜かれていた側面があるのです。別に農協は悪いわけではなくて、どんなときでも赤字を気にせずに買い取ってくれる機能があるわけです。ただ、常にそのアプローチで売る必要があるのかといえば、そうではないはずです。ですから、農協のルートをベースとして確保しつつも、やはり多元的な豊かさを農家に還元できるようなルートも、新たに構築していく必要があると考えています。

では私たちは、データでどう農家を応援できるのでしょうか？　私が提案したいのは、単に作付け面積当たりの最大生産数で単一の作物を生産して売る形態ではなく、付加価値ごとに作付けを割り振って、多様なマーケットを生みながら多様な作物を売る形態です。

たとえばトマト1つをとっても、その「おいしさ」によって、料理ごとに使われ方が違います。肉料理だったら酸っぱいトマトのほうがおいしいし、サラダだったら甘いトマトがおいしい。あるいは、スープだったら旨味があるトマトがおいしいでしょう。

そこでトマトに「甘味」や「酸味」や「旨味」などのデータをつけることによって、トマトの価値というのを多元化しながら、それが最も輝く出口をつくっていきます。「甘味○%、酸味○%の食材にマッチするレシピ」というものを料理人と一緒に開発し、その食材が最大限活かせる料理の仕方を割り出したうえで、食材の価値を高めることができるようにもなります。

データが介在することで、これまでは買い叩かれて10円で売っていたものを、50円で売ることもできますし、１００円だった食材を、買う側が「２００円出しても欲しい」と言うぐらいの価値に換えられるかもしれません。あるいは、消費者が70円で買ったとしても、農家も消費者も両方得になるようなケースが出てくるかもしれません。一人ひとりの嗜好によって、食の選択肢が圧倒的に増えるわけです。

さらに、消費者側の「買った先」の楽しみも増えていきます。たとえば、自分がその食材を買う行為によって、食材の味をどんなふうに豊かにできるのかを想像できますし、どんな農家に貢献することになるのかも可視化されます。将来的には、その食材が持つ「将来性」や「消費者がこの食材を買うことで、どんな社会貢献につながるのか」といった情報についても、可視化できるようになるでしょう。

これらは、食材にデータを載せられる「フューチャータグ」のようなものをつけてあげれば現実に可能になります。買う手前の入り口と買った後の出口、その両方の価値が見えるようになれば、買う側の楽しみや喜びがぐっと高まります。さらに農家や売る側にも工夫の余地が生まれ、モチベーションが高まるでしょう。このようにデータが多元的な価値づけを可視化することによって、「熱心な農家さんを応援し、食文化や豊かな社会に貢献できるものが欲しい」という価値基準での買い物が実現します。これが当たり前になれば、私たちの食への接し方も変わってきますし、買い物に多元的な動機を加えられるようになります。

食の未来では、外食も大きく変化するでしょう。今ほとんどの外食は選択の幅が少ない出来合いの食事ですが、データの介在により、量の加減はもちろん、その人にとって必要な栄養のバランスも踏まえた食事を提供するといった真のオーダーメード化、いわゆる「Well-being キュイジーヌ」という在り方にシフトしていくと思います。

これからは、いわゆるお金が回る、売上が回るというだけではなくて、「for Good」の観点から、「データの力で、食の体験が多元化していく社会」になっていくだろうと私は予測しています。食が大好きな私としては、非常に楽しみな未来です。

貨幣以外の価値をどう還元していくか

日常の買い物でつくポイントには、「Suica ポイント」や「ANAマイレージ」「ビッグカメラポイント」などいろいろなものがあります。それは、「我が社の製品やサービスをたくさん利用、購入してくれてありがとう」という表現であり、それをポイントというお金の代替品でお返しすることによって次の利用や購入を促進させるやり方です。

でもこれからは、お金以外の「共有価値」が生まれてきて、その「共有価値」自体が世の中に回って、「for Good」の信頼を獲得した人のところに還元されるようになっていきます。データ共鳴社会に至ると、貨幣以外の価値もプラスサムで広がっていくことでしょう。

「共有価値」というものは、人ごとに違う、つまり「多元的」であることが大事です。そこでの価値づけは、体験価値をデザインすることで、いろいろなアイデアが出てくるはずです。たとえば、環境配慮ポイントを貯めた人だけが、普段は開放されていないビーチに入れる機会が与えられるケースなどが考えられます。それは単なる旅行ではなく、「環境という価値観でつながる特別な体験」になります。

もちろん、従来型のお金という価値に還元される形のポイントも残っていくでしょう。とはいえ、たとえば「信頼」という軸に沿って貯めたポイントをお金の価値に還元してしまうようなシステムでは、アマゾンを象徴とする「合理性の体力勝負」に陥りかねません。むしろ、共有価値に対する価値づけや還元方法は、各コミュニティならではの方法で、バラエティに富んだ設計をしていくべきだと考えます。そのほうが楽しさが増しますし、提供者からしても、独自の勝負ができる可能性が広がります。

たとえば、香川県の「豊島《てしま》美術館」は、瀬戸内海を望む立地にあり、アートの所有という価値から切り離されたユニークな美術館です。アートと建築と自然が融合して「作品」とされているため、常時1つの作品しか展示していません。こうした文化や作品の在り方に共感する人が応援の輪を広げていき、その活動が評価され、ポイントの高い人だけに、早朝の特別観覧の権利を渡す、といったプレミアのつけ方もあるでしょう。

他にも、私がいち押しの文化史跡として、北鎌倉にある小津安二郎さんの旧邸があるのですが、ここで文化の保全や情報発信に協力した人に、「保全活動へのリスペクトポイント」を与えるというのも、1つの方法だと思います。一級の文化人だった小津監督だけあって、家自体が本当に風情のある場所です。洞窟を抜けた先にひっそりとある茅葺《かやぶき》の家で、侘《わ》び寂《さ》びの極致のような雰囲気があります。できれば私も訪れたいのですが、観光客が押し寄せてしまえば、その景観が崩れてしまうため、一般への開放はされていません。ですから、リスペクトポイントのような仕組みができたら、私はより優先的に保全活動に取り組むでしょう。

それと、ポイント還元のアイデアは、コミュニティに集まる大勢の人から募るのがよいように思います。そこで各種施策を合議制で決めていけば、新しい豊かさを自ら定義していくような、貨幣を超えた「共有価値」の創造ができます。

たとえば小津邸ならば、小津監督の映画なり、建築なり、北鎌倉の地域性なりに一定以上のリテラシーのある人たち、あるいは文化保全の信頼を獲得した人たちによる、直接民主制のような価値づけの仕組みが、そのコミュニティで実現していきます。

これまで、地域通貨の試みの多くが失敗してきたのは、せっかく信頼で貯めたポイントを、貨幣の価値である旧来型の「ポイント」に接続していたからだと思います。ユーザー数を稼ぐという意味では選択肢としてありえる話ですが、そうすると結局は各種大手サービスが展開している「規模で生まれたお金の価値」に勝てなくなります。だからこそ今後、ポイントを還元する視点で大事になるのは、その還元の在り方が「多元的である」ことと「新しい体験価値である」こと、この2点です。

たとえば、地域の子どもたちに無償でサッカーを教えてくれている人たちに、その地元のサッカークラブの監督や選手たちがいるベンチのすぐそばでサッカーを観戦できる「体験」を還元する場合なら、どうでしょう？　その「体験」は、その後にまた地域の子どもたちに還元されて、地元のサッカーチームへの愛などの教育的な効果を生むと思うのです。成金のような形でお金で積み上げたポイントのある人よりも、そうした地道な貢献をしてくれている人へ還元したほうが、「体験」の使い道としては、間違いなく豊かな社会が生まれる可能性が高まります。

もう1つ、データ共鳴社会における「タグづけ」のいいところは、透明性が高い点だと思います。どこのどんな団体が表彰しているのかわからない「〇〇勲章」といった、どこかブラックボックス的な指標とは違った形で、評価の透明性が実現できます。特に、地域で人知れず、無償の貢献をしてきた人たちを社会の中でリスペクトする仕掛けをつくるには、データでそれを見える化するプロセスが必須でしょう。「for Good」を積み重ねた社会が多元的な価値で回って、豊かな地域をつくる——。そう考えるとなんだか楽しみですし、これからの私たちの「選択」の先に未来があると感じられ、ワクワクしてきます。

第5章

生きるをつなげる。生きるが輝く——新たな社会へ

どんな音を響き合わせたいか？

私たちは今、文明の転換点にいます。第1章で詳しく書きましたが、有史以来、自然災害の脅威と向き合ってきた人類は、治水事業や国家を回すために定言命法的な価値体系を必要とし、「王の光に照らされて生きる人たち」という封建主義の縛りの中で社会システムを回してきました。そんなシステムの歯車になった人間世界が長らく続いてきたのです。

次に産業が発達すると、人間は、経済合理性という新たな強大な価値軸の中でグローバルな仕組みに組み込まれていきました。今度は経済を回す歯車の役割を人間が担うに至ったのです。このときグローバル経済を駆動する役割を担ってきたのは、石炭であり石油でした。

ところが、2010年代から世界を駆動する資源が、石油のような消費財から、データへと移行しました。共有財としても運用が可能なデータが主軸になることで、排他的所有と奪い合いの仕組みだけでなく、資源を共有して新たな価値を共創する社会の可能性が開けてきたわけです。ここから先は、人々が自ら大切にするものを重視して、一人ひとりの「生きる」が共鳴して世界を照らしていくフェーズに入っていく可能性があります。いわば新しい人間復興、「第二のルネサンス」です。

近代とは、共同体から個人が切り離されて自立していくプロセスでしたが、個人を突き詰めるあまりに利己的になりすぎ、ときに分断の中で、ディストピアに至る懸念がありました。

確かに、ルネサンスでは王権や共同体から個人が切り離され、その欲望を解放できるという意味で、いわゆる「人間中心」（神や王権との対極という意味において）の社会を実現できていたと思います。しかしその後、人間の活動は「経済合理性」という大きな力に飲まれていきました。これはある意味、皮肉なことに、人間が利己主義的になった結果として引き起こされたものでもあります。

このくびきから逃れるために、これからの未来では、データの力で「つながる社会（あるいは、つながらざるをえない社会）」のメリットを上手に活かして、「ともにある人間同士」、すなわち「Human Co-Being」がそれぞれの個をどう響き合わせていくか――そこに焦点を当てて、今後の世界を展望していきたいと考えています。

そんな「つながる社会」にやってきた新型コロナのパンデミックは、第二のルネサンスの文脈に連なる社会変化の一端とも捉えられます。私たちは、「コロナ対策」という局所解で思考を閉じることなく、「新たなルネサンスのその先」を見据えながら、今ここで文明の新しい幕を開いていく必要があると考えます。

GDPR施行後のテックジャイアントは、社会善、いわゆる「for Good」へと舵を切ったわけですが、コロナ・ショックを経て、その動きはさらなる展開を見せています。グーグルがコロナ禍で人々の移動に関するビッグデータを公表したのを受けて、私は大学や国など、あらゆるステークホルダーと連携してグーグルとのプロジェクトを組み、2020年3月には「自粛の穴」を見つけて日本のコロナ対策につなげることもできました。こうした動きは、「利益至上主義の本家本元」と思われてきたGAFAが見せた、パワーを持つプラットフォーマーだからこそ実現できる「民主主義的に開かれた公共」と言えるものでした。

また、官民が協力しながら「共有価値」を通じて社会を回していく、という動きも活発になってきました。これまでは、国や企業が「健康づくりのために運動しましょう」「メタボ健診を受けましょう」などと喚起しても、呼応するのは一握りの人にすぎませんでした。

ところが緊急事態宣言下では、「新型コロナ対策のための全国調査」プロジェクトにおいて、膨大な数の人々から調査協力が得られたことが示すように、「個々に感染に気をつけ、社会を守りながら苦境を乗り切ろう」という意識共有が進んだ面もあります。まさに、「つながる社会の中で、命を大事にしながら過ごし方を考えよう」という「共有価値」が響き合わさった事例です。

今、これだけＳＤＧｓが世界の合言葉になっている理由は、格差が広がり、環境問題も深刻な世界で、「『自分さえよければいい』という態度では、世界がもたない」と多くの人が認識しているからです。そういう意味でＳＤＧｓは、世界的規模の「共有価値」と言えるものです。

私は共有価値によって一人ひとりが結びつく「データでつながる社会」は、オーケストラやジャズのような音楽のセッションに近いものだと感じています。「それぞれの個が奏でる音が調和し、よりよい響きを生み出すコミュニティ」というイメージです。

これまでは、「どんなふうに生きても他人様《ひとさま》に迷惑をかけなければいい」という、ある意味で閉じた思考で完結していたかもしれません。しかし、これからは「どういう生き方がしたいか」が問われ、その生き方が周囲に影響を与える世界です。いい音色を奏でていればそれに共感する人の声があちこちから届くはずです。そうした音色が幾重にも重なり合って、構築される社会がデータ共鳴社会の未来であるといえます。

新しい社会契約

考えてみれば、人類は長きにわたって、「愛は大事だ」「平和は大事だ」「信頼は大事だ」と口を酸っぱくして言い続けてきたはずです。しかし、そうした社会善が、これまではなかなか「私たち（We）の意識」として社会で共有しきれなかった、とも言えます。データの力によって多元的な価値を共有できる社会が到来することにより、「個人が大切に思う価値を響き合わせて共有し、そうして共創する多様な社会やコミュニティの中で一人ひとりが輝く」ことが目指せるようになってきたのです。

さらに、データで人がつながり多元的な価値を共有できる社会は、第1章でお話ししたように、ジョン＝ロックが理想とした市民社会、ひいては現代社会に相応しい民主主義の原点につながります。

私はロックが考えていた、「所有の権利を与えられている個人同士が、相互に社会契約を結び、国家をつくる」という民主主義の根幹となるような考え方が、これからの「つながる社会」でこそ生きてくると考えています。主体的な個が相互に響き合う国家像をイメージしていたロックは、すでに現代の民主主義に求められる大事なエッセンスを嗅ぎ取っていたのではないでしょうか。すぐに実現されることはなかったその理想に、ようやく今、時代のほうも追いつきました。テクノロジーによってロックの思想が実現できるようなフェーズになってきているのです。

これから先、国の豊かさを「ものの所有」によって測るＧＤＰは、富の分配という文脈では意味を持ち続けますが、それだけでは世界は説明できなくなります。新たにお金以外の指標で幸福度や豊かさを説明できる言葉として、ジョセフ・スティグリッツやアマルティア・センは、「well-being（よき生）」という言葉を用いています。これは、身体的、精神的、社会的に満たされている状態――お金やモノだけでなく、「生き方」に充足感を抱いている状態を指すものです。

ただ、「データでつながる世界」では、well-beingのもう一歩先の世界観が必要です。なぜなら先ほど見てきたように、「自分1人が幸せならOK」ではなく、「こうすればみんなが幸せだよね」という社会善的な価値観が重要になるので、well-beingが共存する必要があるからです。この共存し共鳴するwell-beingのことを「Better Co-Being（生きるをつなげる。生きるが輝く）」と定義しています。この視点で生み出された価値こそが、「共有価値」なのです。

これからは、一人ひとりが何を食べ、何を着て、どういう仕事をして、どこで遊ぶか――これらの選択すべてが相互に影響を与え、「多様な豊かさが共存し、持続可能社会につながるか?」という観点で共有価値の意味が問われます。だからこそ、一人ひとりのマインドセットとして今後必要になってくるのは、トップダウンだけではなく、ボトムアップで社会をつくり上げる意識です。それはまさに、世界との「新しい社会契約」の結び直しでもあるのです。

投票だけが民主主義じゃない

皆さんは民主主義に対して、どんなイメージを思い浮かべるでしょうか。「民主主義と言えば、それは選挙だ」と答える人は多いでしょうが、実は投票は民主主義における政治参加の１つの手段であり、民主主義の本質は投票だけではありません。

２０２０年のアメリカ大統領選挙におけるトランプとジョー・バイデン、両候補が挑発や非難を繰り返したテレビ討論は、民主主義を対話で進めるための枠組みから完全に外れたものでした。アメリカ社会の分断をそのまま表したかのような様相を呈していて、そこで熟議が成立するとは、到底思えないものでした。これはアメリカの民主主義が岐路に立ったことを示す象徴的な出来事でした。

アメリカの分断は、中産階級の所得が伸び悩み、ごっそり抜けてしまったことが原因です。これは「エレファントカーブ」――世界全体における所得分布ごとの所得の伸び（国民１人あたり）を示すグラフで、「先進国における中産階級」の所得が伸び悩んだことを示した曲線からも明らかです。先進国内で高所得者層と中間層の格差が広がり、このことがトランプ対バイデンの対立のような、根深い分断をもたらしているとされます。

ただ、これは、日本においても本質的には同じです。今の日本の選挙は、政権与党である自民党にプレッシャーを与えるという意味合いは大きいですが、投票、選挙によって自分たちの未来がよくなる実感を持っている人が限られている点においては、民主主義の仕組みを改善すべき時期が来ているのでしょう。

かつては多数派の中間層がいて、そこをターゲットにした「平均モデル」を議論して政策を決めていれば、問題なく政治も社会も回っていました。しかし、社会の分断が激しい今のような状況の中では、投票による多数決で政策を決めたところで、必ず「取りこぼされる人たち」が生まれます。どんな政策でも、この多様な世の中は捉えきれない。そんな時代なのです。現状の「投票」というシステムがあれば、民主主義がうまくいくわけではないのです。

では、民主主義とは何か。すでに述べたロックの言葉によれば、「所有の権利を与えられている個人同士が、相互に社会契約を結び、国家をつくる」として、自然状態から政府が存在する社会状態をイメージしていました。これは、政府はなぜ必要とされるのかを考えたものであり、選挙だけが政府を選択する手段ではないことも示唆しているのではないでしょうか。あらためて考えたいのは、この「社会契約」こそが市民社会、ひいては現代における民主主義の本質になるのではないかということです。

しかし、いわゆる社会契約論は、合理的な個人という仮定、いわばロジックによって社会契約の存在を考えたわけですが、一人ひとりが多様であることをお互いに認め合うことができ、さらには、これを実現できるテクノロジーが実装されつつある現代社会においては、新しい仕組みとして実装可能になるはずです。それは例として、一人ひとりがどんな社会契約を結びたいかという、個々人の意思を尊重して多層的なコミュニティや社会を構成することにつながります。今まではそうした意思を、選挙によって代理人を選んで、その人に代弁してもらうという手法でやってきました。それが投票です。しかしこのシステムに依存することには限界が来ています。

個々人の意思が反映された社会契約を多層的に結ぶにはどうすればよいか――それを可能にするのがデータです。データでつながる社会は、消費、労働、ボランティア、買う、働く、遊ぶ、学ぶ、観る、着る、表現するといった、ありとあらゆる行動が世界とつながり、社会に反映されます。これはつまり、日々の選択そのものが民主主義になる、そう表現しても過言ではありません。

ここで言う「日々の選択」には、ささやかなことも含まれます。ですがその場合にも、自身がとる選択の先にある「未来の姿」を意識することが大切です。「そこまで自分の行動を大げさに捉えられない」という人の場合は、その役割を担っているコミュニティを見つけて、そこに属するやり方もあります。

私の事例で言うならば、２０２０年の夏に、シビックテックの知見を持つ、「コード・フォー・ジャパン」代表の関治之さんと一緒に、「inochi Online Hackathon」という学生による社会課題解決のハッカソンに参画した経験がよい例です。

シビックテックとは、市民自身がテクノロジーを活用して、行政サービスの問題や社会課題を解決する取り組みのこと。ハッカソンとは、ＩＴエンジニアやデザイナーなどがチームをつくり、特定のテーマに対してアイデアを出し合い、課題解決の仕組みやサービスに落とし込むイベントです。

このときのイベントは、私も理事を務めている「一般社団法人 inochi 未来プロジェクト」が音頭をとり、コロナによる世代分断という課題をシビックテックでいかにして解決していくかについて話し合いました。新型コロナウイルス感染症を広げているのは若者だと連呼されていた時期に、若者の間では、自分たちが責められているような気持ちになっている人もいたようです（しかし実際、第１波と第２波のとき、感染者に占める割合は若者が多かったのは確かですが、実態調査をすると、若者は好き好んで広げていたわけではなく、外に出て活動せざるをえない側面もあったことを述べておきます）。

そこで、課題感を抱いている若者たちを集めて、学生自身が若者世代の行動変容を促し、どうすれば状況を打開できるかデザインしてもらおうと思ったのです。実際のシビックテックの手法については、関さんにレクチャーしていただきました。すると、若者同士が飲み会に行きたくなくなる方法や、そもそも飲み会に行くよりももっと楽しい日常に導く方法など、自由で独創的なアイデアがたくさん飛び出しました。エンタメの要素も混ぜることによって、自然と行動変容につなげられるような方法は、いくらでも考え出せそうだ。そんな気分になりました。実際にこの話し合いをきっかけに、既存のビジネスモデルを発展させる、企業との共創も生まれました。

こうしたアイデアの実現に向けて検討したという事例自体が、私の「日々の選択」の1つです。そこに参加したという私の行動は、全体で見れば些細なものにすぎませんが、こうしたボトムアップの取り組みがデータの力で可視化され、点が線になり、線が面になり、最終的に大きなうねりを生み出す、それがこれからの民主主義の1つのアプローチであり、民主主義をデータがデザインすることでもあります。

メルケル首相がコロナ下の演説でドイツの国民に語りかけたように、「情報の共有」と「人々の参加」を社会の中で常に循環させていくことが、これからの民主主義のエンジンになります。データの力で新しい民主主義を達成させるという姿勢が、これからより求められていくと思います。

公平性から公正性へ

図5－1の絵を見てください。この2つの絵には、大きな違いがあります。左の絵は、三者に同じ高さの椅子が与えられています。けれども、いちばん背の低い子どもは、フェンスが邪魔で野球の試合を観られません。一方で、右の絵はどうでしょうか？　配られて

いる椅子の高さは全員違いますが、目線は同じ高さで、全員が試合を観ることができています。

これは、「公平性と公正性」の違いを説明したイラストです。左が「公平性」、右が「公正性」を表しています。公平性は、それぞれの状況を鑑《かんが》みず、全員に対して同じ待遇を施す「平等」な在り方です。もう一方の公平性は、「それぞれの状況に応じて」待遇を変え、全員が同じメリットを与えられるように配慮する在り方を表します。似ているようでいて実はまったく違う考え方なのです。この絵は、その違いを見事に表しています。

定額給付金の話は、まさにこの左の絵のような「公平性の壁」の問題でした。それほど助けを必要としていない人にも、本当に生活が困窮して困っている人にも、同額の10万円を一律で配ってしまったのです。でも、もしもその時点で、社会保障と所得情報が紐づけられたデータが整備されていれば、本当に困っている人に向けて、その痛みに応じた金額を配ることができたでしょう。あるいは、無利子無担保で貸し付けるなどのオプションも用意できたでしょう。こうした対応ができなかったことで、日本はまさに、データ後進国であることが露呈してしまったわけです。

図5－1　公平性と公正性の違い

背が高い・低い、あるいは力が強い・弱い、高齢・幼年……どんな立場であったとしても、well-beingを感じることができる社会を目指すためには、右の絵のような「公正性」が実現されなければなりません。そして、まさにこの「公正な」ダイバーシティやインクルージョンの在り方を実現する手段として有効なのが、データです。「最大多数の最大幸福」の原理による国家運営、ビジネス、サービス運営から脱却するためには、個々をエンパワーメントする役割を果たすデータが、今後は欠かせないものになっていきます。

ここで１つ、思考実験をしてみたいと思います。ある地域の住民20人ほどがコミュニティスペースで集まりを開いているところに、そのコミュニティのＯＢが久々に訪ねてきました。ＯＢは「ケーキをおごろうと思うのですが、イチゴケーキとモンブラン、どっちがいいですか？」と提案し、どちらにするか多数決で決めるために挙手を求めたシーンを思い浮かべてみてください。

このとき、20人中12人が「イチゴケーキ」を、７人が「モンブラン」を希望しました。けれども、残りの１人は、手を挙げづらそうにしています。理由を聞くと、「実は、糖尿病で甘いものが食べられない」と言います。このとき、コミュニティのリーダーが、「じゃあ、買うケーキは何にしたほうがいいですか？」とコミュニティのみんなに意見を求めます。あなたが住民なら、どんな意見を出しますか？

「多数決でどちらかのケーキに決めるのではなく、イチゴも、モンブランも、両方のケーキを買ったらどうか？」

「甘いものが食べられない人がいるなら、甘くない食べ物にしてもいいし、そもそも今はみんなで楽しむために集まっているのだから、別に食べ物でなくたっていい」

　こうした話し合いは、みんなが自分の利益ではなく、みんなに開かれた、みんなにとっての利益である「パブリック」を真剣に考える、大事なプロセスです。最初の12人と7人のときには、それぞれの事情だけで「自分が食べたいもの」を考えて手を挙げていましたが、残りの1人の意見を聞いたことでさまざまな意見や提案が出てきました。そして、そのときから、それぞれは自分が食べたいものではなく、「ここでみんなで楽しく過ごすにはどういう形がよいのだろう?」と考え方が変わっています。ある1人の意見をみんなで共有することで結論が変わろうとしている、これがポイントです。

　これからはデータの力を借りることで、こうした「選択肢」のバリエーションを多彩に生み出すことが可能となります。それは個別最適を実現したり、新たな体験価値をデザインしたりすることがより解放される社会へつながるのです。

　そうすると、多数決というのは決め方の1つでしかありません。情報共有がなされることで、先ほどの絵ならば「高さの違う椅子」、今回のケーキの例ならば「ケーキでなくてもいい」という、新たな選択肢が生まれます。データが共有されることで、この「公正性」の考え方が強く生まれる――これもデータ共鳴社会における大事な要素だということを忘れないでほしいと思います。

選択を手助けするAIエージェントとフューチャータグ

for Good が可視化される時代では、日々の選択がその人の「生きる」を形づくっていきます。とはいえ、どうチョイスし、どう「生きる」が形づくられるのかは、まだなかなかイメージしづらいかもしれません。

たとえば、「Society5.0」が掲げている「人間中心の価値創造社会」では、「Human」にとっての最善の価値を見出していくことをテーマとして掲げています。たとえば、私たちが今直面している新型コロナの課題のように、人の「命」に関わるテーマは、まず第一に当てはまります。

それから「環境」も包括的なテーマだと思います。日本でも、レジ袋の有料義務化が始まり、脱プラスチック化へ向けた政策が端緒についたところです。私自身は職業柄もあり、以前から環境対策については意識を向けてきました。と言っても大それたことではなく、ゴミの分別や、環境を害する素材を使用している商品は使わない、と言った日常のささいな行動での心がけです。

ただし、全方位に向けて完璧にソーシャルグッドな振る舞いをし続けるというのは、誰しも難しいでしょう。常にグッドを考えながら、自分の選択すべてがインテグリティのある未来に向けたものであると意識し、その姿勢を貫き続ける生き方は、たとえ超人であってもしんどいはずです。それに、個人の力で世界の全社会課題にコミットできるわけはありません。

ですから、自分が世界のどの課題を大切に思っているのかの軸を見つけ、そこにコミットしていけばよいと思います。たとえば「食べる」という行動1つをとっても、食品ロスが出ないように食べることを選べば、それは環境への配慮にもなります。おいしいものを誰かと楽しく食べることを選べば、円滑なコミュニケーションやwell-beingな食の在り方の追求になりますし、過剰な栄養摂取をしないと決めれば、これは自分自身の健康にもつながる「食べる」の在り方になります。あるいは、地産地消の食材を選ぶことは、地元のコミュニティの中で汗を流す農家を助けることや、地域経済への貢献、フードマイレージの観点からはエネルギー課題への貢献にもつながります。

このように、食べるという行為の一つひとつがSDGsの文脈のいろいろな軸にかかっていて、どの軸から世界とつながるかを選択することでもあるのです。今までは、このつながりは隠れて見えないものでしたが、データの力で可視化できるようになってきたことで、これらの一つひとつについて、意識して選択しやすい社会へとシフトしています。

さらに、それぞれ可視化された価値をお互いにつなげて、多様にデザインできるようになれば、個人の選択が社会によりダイレクトに反映される、そんな社会ができ上がっていくでしょう。あらゆる人がすべての社会課題に通じている必要はありません。自分の関心のあるレイヤーで、for Goodな選択をすることが、コミュニティに貢献し、社会づくりに参画することになるのです。


大切なポイントだけ決めたら、あとはお任せスタイルという選択もあるでしょう。たとえば、レストランで言うところのアラカルトばかりを選んでいると疲れるので、「今日はお任せのAランチにしよう」と平均的なメニューを選ぶときがあってもいいわけです。生活の中で「生きる」選択を重ねていくイメージをオーケストラでたとえると、「主旋律」

は決めておくけれど、「伴奏」は柔らかな音が響き合っていればそれでよい、くらいのイメージになるかと思います。あるいは自分の選択を、誰か信頼できる人に託すのもありだと思いますし、データ共鳴社会においては、それが自分の意思を代弁するような「ＡＩエージェント」である場合も増えていくと思います。

計算機科学には、「ヒューリスティックス」と呼ばれる手法があります。これは、必ず正しい答えが保証されるわけではないが、結論に至るまでの時間を短くできる直感的なやり方を指す言葉です。この言葉に倣うなら、「このぐらいなら、ほとんど私の意思決定に近い選択になっているな」と見極めて、選択を推し進めることで、「おおよその確率で、よい選択」を積み重ねることも必要になります。重きを置く価値の主軸は自分で決めるが、そうでないものは誰かに委ねる。そんなときに、選択を手助けするＡＩエージェントの介在というのが、今後パワーを発揮してくると思います。

たとえばアップルミュージックは、好きな音楽を聴き続けると、ＡＩがその人の好みを分析して、好みに応じたレコメンドをしてくるようになります。知らない曲名が表示されて選択すると、思いもよらずいい曲だった、というような経験が生まれます。後から調べたら、それがある海外アーティストのデビュー曲だったということもありました。海外のライブハウスを回ってようやく出会えるかどうかという曲に出会える体験を、ＡＩエージェントは自分の好みを把握して持ってきてくれるということです。人は使える時間や認知能力に限界があるため、実は自分の関心の高い領域においてすら、選択は完璧なものではないのだと、ＡＩエージェントの介在によって気づかされます。

それと同様に、「服の生産者の理念は常にチェックしたいけれども、食に関してはある程度お任せでもよい」などと割り切るやり方もあるでしょう。お任せの場合は、好みの方向性だけいくつかの選択肢から選んだら、自動的にそのパラメータを超えないような設定をして、あとは自分の好みに近い選択肢をＡＩに選んでもらうようなやり方です。あらゆる行動がつながる社会で「選択疲れ」に陥らないために、自身の選択のリテラシーとともに、それをサポートできる環境も必要になってくると思います。

もう１つ、選択をサポートする有力な候補として、第４章で少しだけお伝えした「フューチャータグ」も挙げられます。これは商品それぞれに、「これは日本の農業にいい影響を与えている企業の商品です」などと、未来の価値づけとなるデータを載せるタグであり、データの力で「未来」を可視化する試みです。

そうしたデータが商品を手に取ったときにわかれば、それを手がかりに自分の軸となるテーマに近い商品を選んで、消費選択を重ねていけます。それはいつの間にか、自分が目指す未来に少しずつ貢献することになる社会です。社会信用スコアを用いたサービスを提供する中国の芝麻信用では、これと似たような消費モデルを先取りして実現しています。ユーザーが環境配慮ポイントのついた品物を買ってポイントが貯まると、それに応じて「バーチャル植樹」されるというものです。ユーザーを楽しませつつ、さらにそのポイントが高まるとリアルな植樹にもつながるといったもので、消費と環境配慮がテクノロジーの力で密接に結びついています。

いずれにしても、あまねく商品にフューチャータグを埋め込むことにより、自分の「つくりたい未来」から商品を選べる時代が、もう間もなくやってくるでしょう。

for Good時代の情報リテラシー

for Goodが求められる時代には、個人が「選択のリテラシー」を高める必要もあります。リテラシーを高めるためにすぐできる工夫は、「自分のフォーカスポイント」を持つこと。次に心がけたいのは、世の中に流されるのではなく、「自分ならではの選択をしている」という意識を持つことです。

そのような選択のリテラシーを身につけるには、「新たな教育」も大事になってくるでしょう。今までの教育は、どちらかと言うと「社会の歯車」として効率よく生きるための教育でした。学校という箱に多人数を密集させ、一律的な教育を受けさせるというのは、子どもたちに忍耐を強いることでもあります。大量生産大量消費時代においては、こうした教育も有効なシステムだったと思います。

しかし、社会の仕組みが大きく変わる時代においては、異なるアプローチが必要になります。すでに政府ではイノベーション教育、ゼロからものを考える力や多様な経験が必要だと掲げられています。一方で、教育現場の仕組みを変えることはそんなに簡単ではなく、基本的に多くの時間はインプット重視の教育で構成されています。しかしながら、これから for Good が当たり前になる世の中では、「多様性の中から自ら選び取る能力」が欠かせなくなります。

私が今、教育関係者の方々と議論しているのは、「世界の中で自分が貢献しているイメージ」を一人ひとりが持ち、そのうえで生き方を選んでいく。こういった学びや実践のスタイルを身につけた人材を育むために何をすればいいか、ということです。つまり、「世界と響き合う私」が、日々の選択の中で、自分の生き方を表現するような在り方です。

これは、一つひとつ社会契約をしていくような在り方でもあります。食べること、買うこと、遊ぶこと、すべての場面で自分の選択に責任を持ち、自身の生き方に責任と誇りを持つということにもつながっていきます。

自分が世界にもたらす価値を意識して、「生きる」を響かせる感覚を持つためには、そうした経験を持続的に積み重ねることも必要です。また、良質な学びの場も与えられなければなりません。かつてフランスの思想家、アレクシ・ド・トクヴィルはこう述べました。「地域自治の制度が自由にとって持つ意味は、小学校が学問にとって持つ意味と同様だ」。要するに、「自分が暮らすまちでの数々の実践や参加を通じて学べばいい」ということです。これから、こうした学びを深める教育の実践が、まちのあちこちで広がることを期待しています。

もちろん、社会における格差の問題にも目を配らなければなりません。特定の個人の特性や、予測プロファイリングが、差別や排除を助長するという指摘もあります。多様性を育み、誰も取りこぼさない社会を目指すはずのデータ社会が、「信用」の格差を広げるなど、新たな格差や分断を生んだりするのであれば、本末転倒です。for Good から程遠いところにいる人たちを包摂する視点は、常に欠かせません。

さらに、自分の「分身」としてのＡＩエージェントに、自分の自己決定権を託す場合は、情報のアルゴリズムによる自分の「決定」をサービサー（供給者）やプログラムの構築者によって歪められていないか、誰か他者の利益になるように自分の決定が誘導されていないか、などに注意を払う必要も出てくるでしょう。これからは、サービサー側の倫理性をどう担保していくのか、あるいはデータのコンシューマー（需要者）とサービサーが考える「for Good の響き合い」をどう形づくっていくかも検討していかなければなりません。

多層型民主主義の始まりとしてのファブ・シティ

データ共鳴社会における新しい都市づくりのヒントは、海外のいくつかの都市の実践がている都市がいくつかあります。すでに市民の「共有価値」を重視して、魅力的なまちづくりを進めている都市がいくつかあります。

たとえばデンマークの首都コペンハーゲンでは、ＳＤＧｓ軸での都市づくり――お金だけではなく、教育、環境、格差の解消などを軸に入れながらまちづくりを行う取り組み、その名も「UN17 Village」が進行中です。これはＳＤＧｓの17目標すべての達成を目指す、持続可能なエコ・ビレッジの構想です。

一方、パリは「フィフティーンミニッツシティ」という構想でまちづくりを始めています。これは、仕事も遊びも学びも、徒歩15分圏内でまかなえるような、マイクロコミュニティをつくろうという取り組みです。地産地消を目指しながら、グローバルとつながることも検討しているようです。

手触り感のあるコミュニティを市民とともにつくる中で、それを多層的に重ねていくと、都市になります。さらに、その都市の中で多元的な共有価値を積み上げていくと、それはやがて国家になります。こうした共有価値の共鳴でつくるボトムアップの市民社会や国家の在り方は、データ共鳴社会における重要な基軸になると考えています。

スペインの人気観光スポットであるバルセロナ市が2014年に宣言したスマートシティの構想が「ファブ・シティ」です。ものづくりを表す「ファブ」という言葉に象徴されるように、3Dプリンターやレーザーカッターなどのまちじゅうのものづくり施設が連携して、地域全体の創造性を高めていくという取り組みです。

この構想の入り口になったのが、気温や湿度、騒音の大きさ、太陽光の強さ、空気の状態などを含む環境情報を市民一人ひとりが測定し、インターネット上のサーバーにアップロードすることができるセンサーの開発でした。ここから、バルセロナ市と市民との共創により、ビッグデータを活用する都市マネジメントの模索が始まりました。

この取り組みが従来の産学官連携と異なるのは、個人である「民」も連携に加わっている、つまり市民参加型のプロジェクトだという点です。将来的には、衣・食・住・遊にまたがって、必要なものを自分たちでまかなう「自己充足型の都市」を目指しているといいます。

スマートシティにおいては、その都市が何を軸にするかは、それぞれ違っていていいわけです。そうやってそれぞれの都市の「個性」が可視化されれば、たとえば世界に点在する、自分たちと同じような共有価値を大切にしている魅力的な都市と連携することで、さらにその魅力が磨かれたり、あるいは足りないところが補われたりして、都市同士が魅力を高め合うことができます。

市民活動が生み出すプロダクトのそれぞれにフューチャータグを埋め込んでいけば、グローバルな情報連携を誘発し、「実は自分たちの都市と近い価値観を持つ別の都市があるな」といった、思いもよらぬ都市連携が実現するかもしれません。

こうしたスマートシティの取り組みは、特徴のあるまちを地域の中でつくりながら、そのうえで世界ともつながりながら都市の魅力を高めていくことが重要だと私は考えています。たとえば、私が企画段階からアドバイザーとして関わっている「うめきた2期」というプロジェクトを例にとります。これは、2025年の大阪万博と共通するテーマでのまちづくりを目指しており、病気を治すだけでなく、健康で豊かに生きるための新製品やサービスを創造するという「ライフデザイン・イノベーション」をコンセプトとして掲げています。

逆に言うと、従来のスマートシティは、少し奇妙なくらい、みんなが一律に同じ高みを目指していたようにも思えます。横並びの理想の行き着く先は、巨大ショッピングモールのような、画一的な都市の量産になりかねません。そういう意味では、それぞれの都市の価値づくりの土台には、その土地の歴史や風土、住んでいる人たちの価値観、地理的な特徴などがしっかり詰まっていることが大事だと思います。

地域内でも、グローバルでも価値の共創が巻き起こった都市は、「その都市にしかない」独自性の高い多元的な価値群で埋め尽くされ、さらに世界から注目される都市へと昇華していく可能性に満ちています。

これまで本書では「共有価値（Shared Values）」の重要性を繰り返し述べてきましたが、共有価値が都市の中で循環することにより、次の世代へと引き継がれるような、ＳＤＧｓの先を行く「新しい豊かさ」と言ってもいい強力な価値群が生まれます。私はこれを「持続可能な共有価値（Sustainable Shared Values：ＳＳＶ）」と名付け、価値共創社会の基本概念として重要なコンセプトになると考えています。

「持続可能な共有価値」は、魅力的な生き方を追求する中で共鳴する価値観を持つ人同士が協力し合い、自然と求める価値が実現される社会を可能にするものです。大勢の意思を

1つの絶対的価値に押し込めるのではなく、かと言って最大公約数となる価値観を設定するわけでもなく、個人が大切にするさまざまな価値を共有し、その一つひとつを尊重しながら、一人ひとりのゴールへの道筋をデータにより支え、寄り添う社会です。

持続可能な共有価値に基づく都市とは、それぞれ異なる価値を大切にする無数のコミュニティが、多層的に重なって集まっているイメージです。こうした在り方を私は、マルチ・レイヤード・デモクラシー、つまり「多層型民主主義」と呼んでいます。この多層型民主主義に沿った新たな国づくりが、今後求められている「新たな民主主義」につながる要素となるでしょう。

空間的制約を超えた志によるユナイト

多層型民主主義では、市民は国や行政に政策を任せるだけでなく、個人一人ひとりがネットワークやデータを活用することで、多様な取り組みをデザインしていくことができます。それは、ボトムアップでの国づくりであり、新しい民主主義の可能性です。

今までの民主主義は、志というより、どちらかと言えば空間的制約の中で集まっていました。「同じマンションだから」「同じ地域の住民だから」「同じ国に住んでいるから」という理由でコミュニティや自治運営を行ってきたので、価値観はバラバラで、それをどうまとめるかに主眼が置かれていました。

それに対して多層型民主主義は、空間的制約を超え、志を同じくした人たちがつながって社会をよくしていくイメージです。そうすると、居住している場所で社会との契約がなされなくてもいい、ということになります。空間的な制約を超えた「志によるユナイト」が、今後いろいろな形で実現できる社会になります。

たとえば、「東京に住んでいる私」が、志によるつながりを持つとしたら、どんなものが考えられるでしょうか。ギルド集団である「会社」に所属している私、「東京都民」としての私は相変わらずいるわけですが、次のような「空間的な制約を超えた私」もいる可能性だってありえます。

- 子どもの教育は遠隔授業でアメリカ式で受ける。
- 環境を軸にした地域コミュニティに所属しているが、それがきっかけで同じような価値観を大切にするフィンランドのコミュニティともつながっている。

・食に関しては、米の生産者の応援のため、新潟の有機農家を支援する消費活動に力を入れ、グリーンツーリズムと農業体験でたびたび新潟を訪れている。毎朝飲むコーヒーは、コーヒー農家の健康や持続性に配慮したフェアトレードの豆を使用している。
・お気に入りのファッションは、若いデザイナーが糸と生地、そして、精巧な刺繍を縫い上げるベトナムの現場を訪れて、彼らの伝統からインスピレーションを得たブランドの衣服。この衣服は、サプライチェーンにおける搾取がないので、つくり手の仕事も安定している。また、こうした仕事はコミュニティや子どもたちの教育の充実にもつながるので、今度子どもたちを連れて、彼らとの交流を深めに行こうと考えている。

自分自身がどんな自分になっているのか、普段から強く意識することは少ないでしょうが、こうやって生活ぶりを俯瞰しながら自分の興味に関する要素を輪切りにしてみると、いくつもの「志」で多層的に形づくられていることがわかるだろうと思います。

これまでにも、募金など地域を超えた慈善活動の取り組みはありましたが、自分の貢献がどこにどうつながるかが見えにくいという課題がありました。「動物愛護のために」と看板を掲げているまちかどの募金に少額の寄付をしたところで、それがどんな形で役立ったのかについては、透明性を欠くところがありました。それに対して、多層型民主主義の長所は、自分が関心を持つそれぞれの分野で、自分の貢献がどのように反映されているかが、きちんと可視化され、実感を持ちやすくなっていることです。

それだけに、それらの可視化された自分たちの貢献が、最終的にこの社会をどう変えるのかという「未来の姿」についても、実感を持てるような社会であるべきでしょう。したがってコミュニティやネットワークのそれぞれが、参加者が「未来の姿へのつながり」を感じられるような工夫を施す必要があります。

そうした未来の姿の見せ方のヒントになる取り組みがあります。それが、日本初のクラウドファンディングサービス「READYFOR」です。これは、支援者がお金を出すことで、「これから社会にこんな貢献をしていこう」と企画している挑戦者を助けられる仕組みです。

READYFORでは、実行者（資金調達を行う企業や個人）をサポートする専任担当者である「キュレーター」を置き、キュレーターの厳しいチェックを通過したプロジェクトしか採用しません。けれども、ひとたび実行者に選ばれれば、キュレーターが強力なサポートを発揮し、資金調達にまで漕ぎ着けます。事前にコミュニケーションを重ね、実行者がやりたいことに対する思いを引き出し、共感を呼ぶプロジェクトページを作成し、達成するための施策を打ち出していきます。

READYFORが優れているのは、実行者を支援すると「こうなるよ」というビジョン、つまり支援者への事前の宣言の明確化です。その意思表示の文面や写真などをサイトに載せる際のつくり込みには、際立ったプロフェッショナリズムを発揮しています。だからこそ、実行者は安心して寄付を呼び込めるわけです。

私も、コロナ下のプロジェクトで名をつらねたことがあるのですが、実際に資金を集めた後に、たとえそれが筋のいい使い道だとしても、事前の宣言にない目的から外れたことへは一切資金を回さないということを徹底しています。それだけ、情報の透明化を図っているからこそ、国内最大のクラウドファンディングサービスに成長したのでしょう。

このように未来の姿を精緻に共有することで、その価値に貢献したいと思う人たちの思いが集まり、地縁を超えた新しいネットワークを生み出せる可能性があります。需要と供給のマッチングは、データが得意とするところです。全体像さえしっかり見せれば、善意による「ちょっとした支援」を呼び込むことができ、それぞれの人の暮らしが円滑に回る仕組みがつくれるかもしれません。

このような支援の形は、「点描画」にたとえてみると、わかりやすいと思います。支援者は、絵画全体を1人で全部描くのはとても無理だけれど、ドット1つだけなら、隙間の時間にチョンと打つことができます。一人ひとりが打つ点はわずかかもしれないけれど、それが集まることで点描画のように絵画の体をなしていき、美しい作品ができ上がるのです。きれいな絵を1人で描ききるのではなく、ドット一つひとつを別の担い手が受け持って、1つの絵を完成させていくイメージです。

通常は、ドット1つを打つだけではなかなか達成感は得られませんが、未来の姿を共有しておけば、つまりそのドットが「美しい作品」につながることがあらかじめわかっていれば、担い手のモチベーションにつながります。

こうした持ち寄りの善意で、小さなプロボノ（自らの専門知識や技能を活かして参加するボランティア）たちが増えていけば、多層型民主主義の時代ならではの「縁」がつくれるかもしれません。これは「生きるがつながる」世界そのものの未来です。

未来を思いやる想像力をデータで補う

私は、民主主義の最大の課題とは、「目の前の損得や現世利益しか考えない人たちで物事を決めてしまうこと」ではないかと思っています。たとえば日本でも、将来世代にツケを先送りにするような政策を数々行った結果、少子化対策の優先順位が下がり、世界でも有数の高齢化社会になってしまいました。将来世代に対するインクルーシブネスと、未来をつくり出す想像力が、圧倒的に足りません。

さらにコロナ危機への対応で、日本の2020年度の歳出、および国債発行額は、過去最大となりました。将来世代への負担の先送りが、ますます加速したことになります。目の前の課題を打破しながら、同時に未来へつながる価値を守る。そのためには、未来への想像力をデータで可視化し、「持続可能な共有価値」による社会づくりをしなくてはなりません。

その最初の一歩として、持続可能な共有価値につながる「アジェンダ（課題項目）」を設定し、それが社会全体で共有される必要があります。「今、こういう課題が存在しているよね」という共通の課題意識が広がれば広がるほど、「じゃあ、こういう価値をみんなで大切にしなければいけないよね」という共有価値が生まれるので、そこに向かって社会が駆動していくからです。たとえば、少子化対策を例にすると、次のようなアジェンダを社会に、特に若い人たちに問いかけ、問題意識を高める方法も考えられます。

・あなたは今の社会が、次世代の子どもたちから見ても魅力的だと思えますか？
・あなたがもし子育てを始めたとして、支援が見込める環境がありますか？
・今の日本の子育て世帯は、どんな点が恵まれていて、どんな点が足りないと思いますか？
・次世代の子育てや教育の環境において重要な要素は、どんなものだと考えますか？
・次世代の子どもたちに残しておきたい、この国の価値とは何だと考えますか？

しかし、こうした課題意識が共有されるだけでは、持続可能な共有価値による社会づくりは実現しません。その共有意識の実現につながる消費、労働、学びといった「行動」が生まれなければいけません。

ただ、これに関しては、「データ」が強力な効果を発揮します。特にフューチャータグの例で見てきたように、「この行動をとることが、社会におけるどんな価値に貢献することになるのか?」をテクノロジーの力で明示することで、日々の行動が共有価値の実現に紐づきます。

これは想像にすぎませんが、たとえば次のようなアイデアが考えられるかと思います。

・この洋服を買うことは、生地の生産国の労働者を支援する基金の支援につながる。さらに洋服のタグにスマホをかざせば、その生産者それぞれの情報がすぐに出てきて、どんな人々の支援につながるのかといった情報も得られる。
・ある映画を観ると、子育てに悩む親たちの気持ちを想像できるマインドが育めるだけでなく、「将来世代の応援ポイント」が貯まる。そのポイントが貯まると、映画の出演者、製作者たちと直接、持続可能な子育てについて語り合うイベントに参加することができる。
・幅広く環境保全活動を実践しているＮＰＯが発行している書籍のシリーズには、そのどれもにフューチャータグが埋め込まれている。その購入者だけが入ることのできるオンライン上のコミュニティでは、関心のあるテーマごとに議論できる環境が整っている。そこでは実際の環境保全活動に参加する導線も用意されており、「ここで初めて環境保全活動に参加した」という参加者も多い。

このように、アジェンダを設定し、日々の選択と共有価値を結びつけることで、多層型民主主義による社会づくりは加速していきます。これらをあらかじめ緻密に設計しておくことが、現状の民主主義の課題である「未来の想像力が育まれない」という点を解決する手立てとなります。

困りごとを持ち寄るシビックテックの可能性

アジェンダを設定して社会で共有する取り組みのいい例が、市民がＩＴの力で地域や社会の課題を解決する「シビックテック」の事例です。「コード・フォー・ジャパン」の関さんとご一緒し、学生たちと取り組んだシビックテックの活用事例を先ほど挙げましたが、これはボトムアップによるアジェンダセッティングの事例の1つです。

シビックテックというのは、とどのつまり、「社会には、こういう困りごとがあります」「ここの困りごとを解決しないと、社会はよくなりません」といった「困りごとを持ち寄り、共有するための仕掛け」なのです。課題を行政に設定してもらうのを待つのではなく、市民が自ら設定をして解決まで行う。それがシビックテックの本質です。テクノロジーはあくまで、こうした試みを実現しやすくしているだけです。

フューチャータグによって日々の選択が共有価値につながったり、シビックテックのような試みによって市民自らがアジェンダ設定から解決まで行うような社会では、「投票」という行為は民主主義の一部分にすぎないものになります。さまざまなモジュールの中で人々の意思を反映させながら、それらが共存するベターな在り方を目指す社会が、多層型民主主義が目指す社会でもあります。

国との契約に「定食」以外の選択肢をつくる

多層型民主主義は、個人とコミュニティ、あるいは、個人と社会が相互に作用しながらダイナミックな共同性を生み出す点で、従来の民主主義とは明確に異なります。これまで国との社会契約は「定食」のような画一的なものしかありませんでしたが、これからは「アラカルト・メニュー」の選択肢が提示されるようなものです。「公」「共」「私」の掛け合わせで、多元的な社会契約が可能になりました。

ＬＩＮＥ×厚生労働省「新型コロナ対策のための全国調査」もまた、政府の外側の立場から実現した社会善という意味で、オルタナティブなパワーとして機能した例だといえるでしょう。このことを強く実感したのが、２０２０年8月に実施した5回目の調査でした。この調査の有効回答数は、約１５４０万人にも上りました。

調査のたびにテーマを設けていたのですが、5回目は、主にＰＣＲ検査では見えない第２波の感染状況、および職種や年齢ごとのリスク対策の実態などを細かく解き明かしていこうと考えました。その結果、このときの集計結果から浮かび上がってきたのは、予防行動の重要性でした。

たとえば、飲食店で働く人には、あえて質問項目を細かく分けて、「接待を伴わない飲食」と「接待を伴う飲食」に分けて調査しました。さらに、手洗いやマスク着用だけでなく、3密回避や体調管理など、ガイドラインで提示されているような対策を行っているかどうかも確認しました。職種ごとという大きな括りではなく、リスク管理の実施状況による違いを見ていこうと考えたからです。

その結果、ほとんどすべての職種でリスク管理が重要だったことがわかりました。対策を実施している職場で働いている人が、対策を実施していない職場で働いている人に比較して、統計的に有意に症状の割合が低かったのです。つまり、人々の予防行動によって感染は抑えられるということが、ビッグデータからも示されたわけです。

たとえば、3密回避が難しいタクシーであっても、窓の開放による換気、ビニールシートによる運転席と後部座席の密接対策など、3密対策としてできることはあり、そうした対策を行っている現場では、症状を有する従業員の割合が低いこともわかりました。

この結果が出たことには、大きな意味がありました。なぜなら、「業種ではなく、対策の有無こそが課題なのだ」という主張ができたことで、特定の業種への過剰なバッシングを緩和させることができたからです。

感染の第２波が到来した頃、「夜の街」のバッシングが起こりました。ある特定の層にレッテルを貼って、やみくもにその人たちを叩くことは、差別そのものです。ＬＩＮＥの調査結果は、業種で差別するのではなく、同じ業種でも対策ができているところとそうでないところで違いが出ることを明らかにしました。その結果、以後は世間の受け止め方も徐々に変わり、過剰なバッシングは改善に向かっていったように思います。

この事例では、オルタナティブなパワーがデータを通じて機能した結果、差別的な「大きな声」を抑制できました。そもそも私たちは調査を実施するときから、「社会の痛み」に寄り添う視点を常に持とうと心がけています。「大きな声」になびくのではなく、「声なき声」も掬《すく》い上げるために、そのときそのときにおける社会の課題は何なのだろうかという問いを抱きながら調査にあたっています。その視点がこういう結果を生んだと言っても過言ではないと思います。これはまさに「アラカルト」な選択があったから起きたことなのです。

民主主義を軸にしながら資本主義をアップグレードする

洋の東西を問わず、新型コロナウイルス感染拡大防止策の一環で、接触確認や人々の行動様式の把握などのためにプライバシーのデータが集積されつつあります。一方で、中国では社会信用スコアを駆使した、政府主導型のデータ運用が広がりを見せています。こうした流れから、「データ監視社会」の出現を危惧《きぐ》する声も聞かれます。

しかし私はむしろ、個人の権利を尊重した形でのトラストのあるデータ運用が、共産主義社会、資本主義社会というイデオロギーの枠組みを超えた、人類共通の課題になったということに注目すべきだと思います。

パンデミックが浮き彫りにしたのは、感染症対策における人権とプライバシーのバランスといった危機管理的な課題にとどまりません。資本主義は人類に自由をもたらした一方で、行き過ぎた経済合理性至上主義は格差や分断も生み出してきました。その分断を放置しておくと、社会がもたなくなっているということを、はからずも新型コロナウイルスは可視化しました。

たとえばアメリカにおいては、これまでは富裕層と貧困層の格差をある程度は是認してきましたが、今回のコロナ禍で低所得者層は大量に職を失い、アフリカンアメリカンの人々の死亡率が白人に比べて高いといった、看過できない状況が発生しています。私たちは、今まで取り置かれていた格差の問題を真正面から皆で受けとめ、格差の中で取りこぼされてきた人たちを包摂する社会の在り方を一緒に考えていかなくてはならないと考えています。

課題は山積していますが、ブラック・ライブズ・マターに吹き荒れるアメリカが、格差と人権の問題を克服した形で新しい資本主義像を提示するかもしれないですし、国がパターナリスティックに「幸福」を掲げて強力なデータ統治をしている中国も、社会信用スコアの評価基準をオープンにして、「ホワイトボックス化」しながら「多元的に豊かな」指標の中で人々の善行を引き出す社会に導いているかもしれません。大阪万博の構想にも、スマートシティのプロジェクトが含まれていますが、日本も多層型民主主義をうまく育てて、魅力ある世界の都市とつながりながら、新しい豊かさを生み出すことができる可能性があります。

そういう意味では、輝く未来を築く可能性は、どの国にもあるだろうと私は思っています。新しいデータ共鳴社会が実現すれば、多元的な価値で世界中がつながる社会が訪れるはずです。そうした多層型ネットワークの中で、民主主義の新しい可能性を拓くことが可能ではないかと考えています。

おわりに――「生きるをつなげる。生きるが輝く」社会へ――

私たちは今、ゴールデンスタンダードがない世の中を生きています。「つながる世界」にある私たちは、地域とも世界ともネットワークをつくりながら、コミュニティを育み、都市をつくり、多層的な国家をつくっていくフェーズにあります。

格差社会が進むと同時に、人の価値観も多様になりました。そのうえ、新型コロナウイルス感染症は、不確実で先が見えない不安を私たちにもたらしています。ウイルス1つがもたらした厄災に対する対策にさえ、社会全体が、そして世界が四苦八苦している状況です。

こうした不確実さが前提の世の中では、刻一刻と対応を変えていくということが非常に重要になってきます。激変する世界で、しかもその世界はすでに「つながっている」中で、複雑な社会状況を冷静に把握し、人が知恵を結集し、どう「ベター」を掛け合わせられるか。変化をどう味方につけられるか。そこが今の世界を生き抜く鍵となるでしょう。

もちろん、熟議を尽くして「ベスト」が見つかればそれに越したことはありませんが、そこに時間がかかってしまっては意味がありませんし、今は私たちが想像する以上に世の中が複雑化しています。何より、ある人にとっての「ベスト」がすべての人にとっての「ベスト」であることは少ない、と考えておいたほうがよいかもしれません。

いずれにしても、パンデミックという不確実性の極みに遭遇して、多くの人が「手がかりとなるデータがないと社会がうまく回っていかない」という現実を理解したのではないかと思います。


これから、私たち一人ひとりの役割は変わっていきます。経済合理性を回す巨大システムのための歯車ではなく、「何がベターか」「どう、ともにあるのがよい響き合いにつながるのか」を常に問い続けることが、それぞれのコミュニティに属する個人の役割になります。豊かさは、1人の力ではなく、人々との共創の中で生み出していくものになります。

そうした私たちの次なる行動規範は、個としての幸福を追求する「well-being」という言葉だけでは表しきれません。世界とのつながりの中でベターを模索しながら命の輝きを実現する在り方を、私は「Better Co-Being」と表現しています。一人ひとりの「生きる」が響き合う社会のイメージから、最近は「生きるをつなげる。生きるが輝く」という言葉で表すようになりました。

人間は誰しも、その人がその人自身として生まれて、その人自身として死ぬ存在です。一人ひとりの生を、人々のつながり合いの中で響き合わせ、それぞれの生を輝かせることの先に、豊かな未来がある――。私はそのような未来に貢献できるように実践を積み重ね、皆様とビジョンをともに考えていきたいと思います。

本書の執筆にあたっては、民主主義や資本主義といった既存のイデオロギー論に終始することなく、未来を切り開く新しい価値観や、新しい社会づくりのヒントになるような情報をできるだけ盛り込むよう心がけました。また、複雑で多層的な世の中でも、社会契約を自ら選び取れるような情報リテラシーをどう身につけていくべきか、厭《いと》うことなく自然な形で生き方を選択していくマインドはどう保てばよいのかといった、今後の羅針盤になるような情報提供にも努めました。本書で、皆さんが描く未来に明るい材料が加わることを少しでも後押しできれば幸いです。

最後に、本書の刊行にあたっては、ＰＨＰ総研主席研究員の亀井善太郎氏にたいへんお世話になりました。今回もともに議論を深めてくださった佐渡島庸平氏にも感謝申し上げます。本書の構成を担当していただいた古川雅子氏、編集の労を執ってくださったＰＨＰ研究所の大岩央氏、宮脇崇広氏にもお世話になりました。また、ここではあえてお名前を挙げませんが、それぞれの分野の専門家との対話から多くの学びを得ました。これらの方々に深く御礼申し上げます。

２０２１年２月

宮田裕章

PHP新書
PHP INTERFACE
https://www.php.co.jp/

宮田裕章［みやた・ひろあき］

1978年生まれ。慶應義塾大学医学部医療政策・管理学教室教授。専門はデータサイエンス、科学方法論。2003年、東京大学大学院医学系研究科健康科学・看護学専攻修士課程修了。同分野保健学博士（論文）。2015年より現職。専門医制度と連携したNCD、LINE×厚生労働省「新型コロナ対策のための全国調査」など、科学を駆使し社会変革を目指す研究を行う。2025年日本国際博覧会（大阪・関西万博）テーマ事業プロデューサーも務める。著書に『共鳴する未来』（河出新書）がある。

編集協力——古川雅子
イラスト——齋藤　稔（株式会社ジーラム）

データ立国論
PHP新書 1252

二〇二一年三月三十日　第一版第一刷

著者——宮田裕章
発行者——後藤淳一
発行所——株式会社PHP研究所
東京本部——〒135-8137 江東区豊洲5-6-52
第一制作部 ☎03-3520-9615（編集）
普及部 ☎03-3520-9630（販売）
京都本部——〒601-8411 京都市南区西九条北ノ内町11
組版——アイムデザイン株式会社
装幀者——芦澤泰偉＋児崎雅淑
印刷所
製本所——図書印刷株式会社

ISBN978-4-569-84930-0

PHP新書刊行にあたって

「繁栄を通じて平和と幸福を」(PEACE and HAPPINESS through PROSPERITY)の願いのもと、PHP研究所が創設されて今年で五十周年を迎えます。その歩みは、日本人が先の戦争を乗り越え、並々ならぬ努力を続けて、今日の繁栄を築き上げてきた軌跡に重なります。

しかし、平和で豊かな生活を手にした現在、多くの日本人は、自分が何のために生きているのか、どのように生きていきたいのかを、見失いつつあるように思われます。そして、その間にも、日本国内や世界のみならず地球規模での大きな変化が日々生起し、解決すべき問題となって私たちのもとに押し寄せてきます。

このような時代に人生の確かな価値を見出し、生きる喜びに満ちあふれた社会を実現するために、いま何が求められているのでしょうか。それは、先達が培ってきた知恵を紡ぎ直すこと、その上で自分たち一人一人がおかれた現実と進むべき未来について丹念に考えていくこと以外にはありません。

その営みは、単なる知識に終わらない深い思索へ、そしてよく生きるための哲学への旅でもあります。弊所が創設五十周年を迎えましたのを機に、PHP新書を創刊し、この新たな旅を読者と共に歩んでいきたいと思っています。多くの読者の共感と支援を心よりお願いいたします。

一九九六年十月

PHP研究所

987 量子コンピューターが本当にすごい 竹内 薫/丸山篤史［構成］
994 文系の壁 養老孟司
997 無電柱革命 小池百合子/松原隆一郎
1022 社会を変えたい人のためのソーシャルビジネス入門 駒崎弘樹
1025 人類と地球の大問題 丹羽宇一郎
1032 なぜ疑似科学が社会を動かすのか 石川幹人
1040 世界のエリートなら誰でも知っているお洒落の本質 干場義雅
1059 広島大学は世界トップ100に入れるのか 山下柚実
1073 「やさしさ」過剰社会 榎本博明
1079 超ソロ社会 荒川和久
1087 羽田空港のひみつ 秋本俊二
1093 震災が起きた後で死なないために 野口 健
1106 御社の働き方改革、ここが間違ってます! 白河桃子
1125 『週刊文春』と『週刊新潮』闘うメディアの全内幕 花田紀凱/門田隆将
1128 男性という孤独な存在 橘木俊詔
1140 「情の力」で勝つ日本 日下公人
1144 未来を読む ジャレド・ダイアモンドほか［著］ 大野和基［インタビュー・編］
1146 「都市の正義」が地方を壊す 山下祐介
1149 世界の路地裏を歩いて見つけた「憧れのニッポン」 早坂 隆
1150 いじめを生む教室 荻上チキ
1151 オウム真理教事件とは何だったのか? 一橋文哉
1154 孤独の達人 諸富祥彦
1161 貧困を救えない国 日本 阿部彩/鈴木大介
1164 ユーチューバーが消滅する未来 岡田斗司夫
1183 本当に頭のいい子を育てる 世界標準の勉強法 茂木健一郎
1190 なぜ共働きも専業もしんどいのか 中野円佳
1201 未完の資本主義 ポール・クルーグマンほか［著］/大野和基［インタビュー・編］
1202 トイレは世界を救う ジャック・シム［著］/近藤奈香［訳］
1219 本屋を守れ 藤原正彦
1223 教師崩壊 妹尾昌俊
1229 大分断 エマニュエル・トッド［著］/大野 舞［訳］
1231 未来を見る力 河合雅司
1233 男性の育休 小室淑恵/天野 妙
1234 AIの壁 養老孟司
1239 社会保障と財政の危機 鈴木 亘
1242 食料危機 井出留美
1247 日本の盲点 開沼 博
1249 働かないおじさんが御社をダメにする 白河桃子

1252 データ立国論　宮田裕章

［思想・哲学］

032 〈対話〉のない社会　中島義道
058 悲鳴をあげる身体　鷲田清一
086 脳死・クローン・遺伝子治療　加藤尚武
204 はじめての哲学史講義　鷲田小彌太
468 「人間嫌い」のルール　中島義道
492 自由をいかに守るか　ハイエクを読み直す　渡部昇一
856 現代語訳 西国立志編　サミュエル・スマイルズ［著］／中村正直［訳］／金谷俊一郎［現代語訳］
1117 和辻哲郎と昭和の悲劇　小堀桂一郎
1159 靖國の精神史　小堀桂一郎
1215 世界史の針が巻き戻るとき　マルクス・ガブリエル
1251 つながり過ぎた世界の先に　マルクス・ガブリエル［著］／大野和基［インタビュー・編］／髙田亜樹［訳］

［医療・健康］

336 心の病は食事で治す　生田 哲
436 高次脳機能障害　橋本圭司
499 空腹力　石原結實
552 食べ物を変えれば脳が変わる　生田 哲
712 「がまん」するから老化する　和田秀樹
788 老人性うつ　和田秀樹
794 日本の医療 この人を見よ　海堂 尊
800 医者になる人に知っておいてほしいこと　渡邊 剛
801 老けたくなければファーストフードを食べるな　山岸昌一
860 日本の医療 この人が動かす　海堂 尊
912 薬は5種類まで　秋下雅弘
926 抗がん剤が効く人、効かない人　長尾和宏
947 まさか発達障害だったなんて　星野仁彦／さかもと未明
1007 腸に悪い14の習慣　松生恒夫
1013 東大病院を辞めたから言える「がん」の話　大場 大
1036 睡眠薬中毒　内海 聡
1047 人間にとって健康とは何か　斎藤 環
1053 iPS細胞が医療をここまで変える　山中伸弥［監修］／京都大学iPS細胞研究所［著］
1056 なぜ水素で細胞から若返るのか　辻 直樹
1139 日本一の長寿県と世界一の長寿村の腸にいい食事　松生恒夫
1143 本当に怖いキラーストレス　茅野 分
1156 素敵なご臨終　廣橋 猛
1173 スタンフォード大学教授が教える 熟睡の習慣　西野精治

1235 決算書は3項目だけ読めばいい　大村大次郎

［政治・外交］

318・319 憲法で読むアメリカ史（上・下）　阿川尚之
426 日本人としてこれだけは知っておきたいこと　中西輝政
745 官僚の責任　古賀茂明
826 迫りくる日中冷戦の時代　中西輝政
841 日本の「情報と外交」　孫崎　享
893 語られざる中国の結末　宮家邦彦
898 なぜ中国から離れると日本はうまくいくのか　石　平
920 テレビが伝えない憲法の話　木村草太
931 中国の大問題　丹羽宇一郎
954 哀しき半島国家　韓国の結末　宮家邦彦
967 新・台湾の主張　李　登輝
979 なぜ中国は覇権の妄想をやめられないのか　石　平
988 従属国家論　佐伯啓思
1000 アメリカの戦争責任　竹田恒泰
1024 ヨーロッパから民主主義が消える　川口マーン惠美
1060 イギリス解体、EU崩落、ロシア台頭　岡部　伸
1076 日本人として知っておきたい「世界激変」の行方　中西輝政
1083 なぜローマ法王は世界を動かせるのか　徳安　茂
1122 強硬外交を反省する中国　宮本雄二
1124 チベット　自由への闘い　櫻井よしこ
1135 リベラルの毒に侵された日米の憂鬱　ケント・ギルバート
1137 「官僚とマスコミ」は嘘ばかり　髙橋洋一
1153 日本転覆テロの怖すぎる手口　兵頭二十八
1155 中国人民解放軍　茅原郁生
1157 二〇二五年、日中企業格差　近藤大介
1163 AI監視社会・中国の恐怖　宮崎正弘
1169 韓国壊乱　櫻井よしこ／洪　熒
1180 プーチン幻想　グレンコ・アンドリー
1188 シミュレーション日本降伏　北村　淳
1189 ウイグル人に何が起きているのか　福島香織
1196 イギリスの失敗　岡部　伸
1208 アメリカ　情報・文化支配の終焉　石澤靖治
1212 メディアが絶対に知らない2020年の米国と日本　渡瀬裕哉
1225 ルポ・外国人ぎらい　宮下洋一
1226 「NHKと新聞」は嘘ばかり　髙橋洋一
1231 米中時代の終焉　日高義樹
1236 韓国問題の新常識　Voice編集部［編］
1237 日本の新時代ビジョン　鹿島平和研究所・PHP総研［編］
1241 ウッドロー・ウィルソン　倉山　満
1248 劣化する民主主義　宮家邦彦